TU FE
es tu
FORTUNA

NEVILLE

Traducción de
Marcela Allen Herrera

WISDOM COLLECTION
PUBLISHING HOUSE

Wisdom Collection LLC /Publishing Company
McKinney, Texas 75070
www.wisdomcollection.com

Tu fe es tu fortuna / ed. Revisada
ISBN: 978-1-63934-049-1

La versión original de este libro fue publicada
en el año 1941 por el gran místico americano,
Neville Goddard.

Para otros títulos y obras del Nuevo Pensamiento,
visita nuestro sitio web

CONTENIDOS

♀

La Fe de una persona en Dios se mide por la confianza que tiene en sí misma.

CAPÍTULO 1

ANTES QUE ABRAHAM FUERA

"En verdad, en verdad, les digo, antes que Abraham fuera, Yo Soy" (Juan 8:58)

"En el principio era la Palabra y la Palabra estaba con Dios, y la Palabra era Dios".

En el principio era la conciencia incondicionada del ser, y la conciencia incondicionada del ser se volvió condicionada al imaginarse a sí misma siendo algo, y la conciencia incondicionada se convirtió en aquello que había imaginado ser; así comenzó la creación.

Por esta Ley primero se concibe, luego se convierte en aquello que concibe; todas las cosas evolucionan a partir de la Nada, y sin esta secuencia nada de lo que ha sido hecho, fue hecho.

Antes de Abraham o el mundo fue Yo Soy. Cuando el tiempo deje de ser, Yo Soy. Yo Soy la conciencia sin forma del ser, concibiéndome a mí mismo como la humanidad.

Por mi eterna ley de ser, estoy obligado a ser y expresar todo lo que yo creo ser.

Yo Soy la eterna Nada conteniendo dentro de mi ser sin forma, la capacidad de ser todas las cosas. Yo Soy ese en el que todos mis conceptos de mí mismo viven y se mueven y tienen su ser, y fuera del cual no son.

Yo habito dentro de cada concepto de mí mismo; desde esta interioridad yo siempre busco trascender todos los conceptos de mí mismo. Por la misma ley de mi ser yo trasciendo mis conceptos de mí mismo, solo cuando yo creo ser aquello que lo trasciende.

Yo Soy la ley del ser y al lado de mí no hay ley. Yo Soy el que Soy.

CAPÍTULO 2

DEBES DECRETAR

"Así será mi palabra que sale de mi boca; no volverá a mí vacía, sino que hará lo que yo quiero, y será prosperada en aquello para que la envié".
(Isaías 55:11)

El individuo puede decretar una cosa y hacer que suceda. Él siempre ha decretado lo que ha aparecido en su mundo. Hoy está decretando lo que está apareciendo en su mundo y seguirá haciéndolo mientras sea consciente de ser una persona. Nunca ha aparecido nada en el mundo del individuo, sino lo que él ha decretado. Tú puedes negar esto; pero, aunque lo intentes, no puedes refutarlo porque este decreto se basa en un principio inmutable.

La persona no ordena que las cosas aparezcan por sus palabras, las cuales, la mayoría de las veces, son una confesión de sus dudas y temores. El decreto se hace siempre en la conciencia.

Todos expresan automáticamente aquello de lo que son conscientes de ser. Sin esfuerzo y sin palabras, en cada momento, la persona se ordena a sí misma ser y poseer lo que es consciente de ser y poseer.

Este inmutable principio de expresión es representado en todas las escrituras sagradas del mundo. Los escritores de nuestros libros sagrados fueron místicos iluminados, antiguos maestros en el arte de la psicología. Al contar la historia del alma, ellos personificaron este principio impersonal en la forma de un documento histórico, tanto para preservarlo como para ocultarlo de los ojos de los no-iniciados.

Hoy en día, aquellos a quienes se les ha confiado este gran tesoro, es decir, los sacerdotes del mundo, han olvidado que las Biblias son dramas psicológicos que representan la conciencia del ser humano; en su ciego olvido, ahora enseñan a sus seguidores a adorar a sus personajes como hombres y mujeres que realmente vivieron en el tiempo y el espacio.

Cuando se vea la Biblia como un gran drama psicológico, con todos sus personajes y actores como cualidades y atributos personificados de la propia conciencia, entonces —y solo entonces— la Biblia le revelará la luz de su simbología. Este principio impersonal de la vida, que hizo todas las cosas, está personificado como Dios. Este Señor Dios, creador del cielo y de la tierra, se descubre como la conciencia de ser del individuo.

Si la persona estuviera menos atada a la ortodoxia y fuera más intuitivamente observadora, no podría dejar de notar, en la lectura de la Biblia, que la conciencia de ser se revela cientos de veces a lo largo de esta literatura. Por nombrar algunos: "Yo Soy me ha enviado a ustedes"; "Quédate quieto y sabrás que Yo Soy Dios"; "Yo Soy el Señor y fuera de mí no hay Dios"; " Yo Soy el buen pastor"; "Yo Soy la puerta", "Yo Soy la resurrección y la vida"; "Yo Soy el camino"; "Yo Soy el principio y el fin".

Yo Soy, la conciencia incondicionada del ser, es revelada como Señor y Creador de cada estado condicionado del ser. Si el individuo renunciara a su creencia en un Dios aparte de sí mismo, reconocería su conciencia de ser como Dios (esta conciencia se modela a sí misma en la imagen y semejanza de su concepto de sí mismo), él podría transformar a su gusto su mundo, de un desierto estéril a un campo fértil. El día que él lo haga, sabrá que él y su Padre son Uno, pero su Padre es más grande que él. Sabrá que su conciencia de ser es una con aquello de lo que es consciente de ser, pero que su conciencia de ser incondicionada es más grande que su estado condicionado o su concepto de sí mismo.

Cuando el individuo descubra que su conciencia es el poder impersonal de expresión, cuyo poder se personifica eternamente en sus concepciones de sí mismo, asumirá y se apropiará de ese estado de conciencia que desea expresar; al hacerlo, se convertirá en la expresión de ese estado.

"Decidirás una cosa y se te cumplirá" puede decirse ahora de esta manera: Serás consciente de ser o poseer una cosa y expresarás o poseerás lo que eres consciente de ser.

La ley de la conciencia es la única ley de expresión. "Yo soy el camino"; "Yo Soy la resurrección". La conciencia es el camino así como el poder que resucita y expresa todo lo que el individuo será alguna vez consciente de ser.

Vuélvete de la ceguera del no iniciado que intenta expresar y poseer cualidades y cosas que no es consciente de ser ni poseer, y sé como el místico iluminado que decreta sobre la base de esta inmutable ley. Conscientemente reclama ser aquello que buscas; aprópiate de la conciencia de lo que ves; y tú también conocerás la condición del verdadero místico, de la siguiente manera:

Me hice consciente de serlo. Sigo siendo consciente de serlo. Y seguiré siendo consciente de serlo hasta que lo que soy consciente de ser sea perfectamente expresado.

Sí, decretaré una cosa y se hará realidad.

CAPÍTULO 3

EL PRINCIPIO DE LA VERDAD

"Ustedes conocerán la verdad, y la verdad los hará libres" (Juan 8:32)

La verdad que libera al ser humano es el conocimiento de que su conciencia es la resurrección y la vida, que su conciencia resucita y da vida a todo lo que es consciente de ser. Fuera de la conciencia no hay resurrección ni vida.

Cuando la persona abandone su creencia en un Dios aparte de sí misma y comience a reconocer que su conciencia de ser es Dios, como hicieron Jesús y los profetas, transformará su mundo con la comprensión de que "Yo y mi Padre somos uno, pero mi Padre es más grande que yo". Sabrá que su conciencia es Dios y que aquello de lo que es consciente de ser es el Hijo dando testimonio de Dios, el Padre.

El que concibe y la concepción son uno, pero el que concibe es más grande que su concepción. Antes que Abraham fuera, Yo Soy. Sí, yo era consciente de ser antes de hacerme consciente de ser una persona, y en aquel día, cuando deje de ser consciente de ser una persona, aun seré consciente de ser. La conciencia de ser no depende de ser algo. Precede a todas las concepciones de sí misma y seguirá cuando todas ellas cesen. "Yo Soy el principio y el fin". Es decir, todas las cosas o concepciones de mí mismo, comienzan y terminan en mí, pero Yo, la conciencia sin forma, permanece para siempre.

Jesús descubrió esta gloriosa verdad y declaró que era uno con Dios, no con el Dios que la humanidad había creado, porque él nunca reconoció a tal Dios. Jesús reconoció a Dios como su conciencia de ser, y por eso dijo que el Reino de Dios y el Cielo estaban dentro.

Cuando se registra que Jesús dejó el mundo y fue a su Padre, simplemente se está diciendo que apartó su atención del mundo de los sentidos y se elevó en conciencia a ese nivel que deseaba expresar. Allí permaneció hasta que se hizo uno con la conciencia a la que ascendió. Cuando regresó al mundo humano, pudo actuar con la positiva seguridad de aquello de lo que era consciente de ser, un estado de conciencia que nadie más que él mismo sentía o sabía que poseía.

Quienes ignoran esta ley eterna de expresión consideran estos acontecimientos como milagros. Elevarse en la conciencia al nivel de lo deseado y permanecer allí hasta que ese nivel se vuelva tu naturaleza, es el camino de todos los aparentes milagros.

"Y yo, si soy levantado de la tierra atraeré a todos a mí mismo" (Juan 12:32)

Si yo soy elevado en conciencia a la naturalidad de lo deseado, atraeré hacia mí la manifestación de ese deseo.

"Nadie puede venir a mí si no lo atrae el Padre que me envió" y "Yo y mi Padre somos uno". Mi conciencia es el Padre que trae la manifestación de la vida hacia mí. La naturaleza de la manifestación es determinada por el estado de conciencia en el que habito. Siempre estoy atrayendo a mi mundo aquello de lo que soy consciente de ser.

Si no estás satisfecho con tu actual expresión de vida, entonces debes nacer de nuevo. El renacimiento es la caída de ese nivel en el que estás insatisfecho y el ascenso a ese nivel de conciencia que deseas expresar y poseer. No puedes servir a dos maestros o estados de conciencia opuestos al mismo tiempo. Si quitas tu atención de un estado y la pones en el otro, mueres para aquel del que la has quitado y vives y expresas aquel con el que te has unido.

Las personas no pueden ver cómo es posible expresar lo que desean ser mediante una ley tan simple como la adquisición de la conciencia de lo deseado. La razón de esta falta de fe es que miran el estado deseado a través de la conciencia de sus actuales limitaciones. Por lo tanto, naturalmente lo ven como imposible de lograr.

Una de las primeras cosas que deben comprenderse es que, al tratar con la ley espiritual de la conciencia, es imposible poner vino nuevo en botellas viejas o parches nuevos en prendas viejas. Es decir, no puedes llevar ninguna parte de la conciencia presente al nuevo estado. Porque el estado que se busca está completo en sí mismo y no necesita parches. Cada nivel de conciencia se expresa automáticamente.

Elevarse al nivel de cualquier estado es convertirse automáticamente la expresión de ese estado. Pero, para elevarse al nivel que no estás expresando ahora, debes abandonar completamente la conciencia con la que te identificas ahora. Mientras no abandones tu conciencia actual, no podrás elevarte a otro nivel.

No te desanimes. Este abandono de tu identidad actual no es tan difícil como podría parecer. La invitación de las escrituras: "Estar ausente del cuerpo y estar presente con el Señor" no se da a unos pocos elegidos; es un llamado general a toda la humanidad.

El cuerpo del cual se te invita a escapar es tu presente concepto de ti mismo, con todas sus limitaciones, mientras que el Señor con quien debes estar presente es tu conciencia de ser. Para lograr esta hazaña aparentemente imposible, debes sacar tu atención de tu problema y ponla en el simple hecho de ser. Di en silencio, pero con sentimiento: "Yo Soy". No condiciones esta conciencia sino continúa declarando silenciosamente: "Yo Soy. Yo Soy". Simplemente siente que no tienes rostro ni forma y continúa haciéndolo hasta que te sientas flotando. "Flotar" es un estado psicológico que niega completamente lo físico. A través de la práctica de la relajación y negando voluntariamente la reacción a las impresiones sensoriales, es posible desarrollar un estado de conciencia de pura receptividad. Es un logro sorprendentemente fácil. En este estado de completo desapego puede grabarse de forma indeleble en tu conciencia no modificada un pensamiento de un único propósito definido. Este estado de conciencia es necesario para la verdadera meditación.

Esta maravillosa experiencia de elevarse y flotar es la señal de que estás ausente del cuerpo o del problema y ahora estás presente con el Señor; en este estado expandido no eres consciente de ser nada más que Yo Soy–Yo Soy; solo eres consciente de ser.

Cuando se alcanza esta expansión de la conciencia, dentro de esta profundidad sin forma de ti mismo, da forma a la nueva concepción reclamando y sintiendo que eres aquello que, antes de entrar en este estado, deseabas ser. Encontrarás que dentro de esta profundidad sin forma de ti mismo todas las cosas parecen ser divinamente posibles. Cualquier cosa que sientas sinceramente que eres mientras estás en este estado expandido se convierte, con el tiempo, en tu expresión natural.

Y Dios dijo: "Que haya un firmamento en medio de las aguas". Sí, que haya firmeza o convicción en medio de esta conciencia expandida, al saber y sentir que Yo Soy eso, la cosa deseada.

Mientras reclamas y sientes que eres lo que deseas, estás cristalizando esta luz líquida sin forma que eres, en la imagen y semejanza de aquello que eres consciente de ser.

Ahora que la ley de tu ser te ha sido revelada, comienza este día a cambiar tu mundo revalorizándote a ti mismo. Durante demasiado tiempo la humanidad se ha aferrado a la creencia de que ha nacido del dolor y debe trabajar su salvación con el sudor de su frente. Dios es impersonal y no hace acepción de personas. Mientras las personas continúen caminando en esta creencia de dolor, seguirá caminando en un mundo de dolor y confusión, porque el mundo, en cada detalle, es la conciencia humana cristalizada.

En el libro de Números está registrado: "También vimos allí gigantes y éramos nosotros, a nuestro parecer, como saltamontes; y así les parecíamos a ellos". Hoy es el día, el eterno ahora, cuando las condiciones en el mundo han alcanzado la apariencia de gigantes. El desempleo, los ejércitos del enemigo, la competencia comercial, etc., son los gigantes que te hacen sentir como un saltamontes indefenso.

Se nos dice que primero fuimos ante nuestra propia vista saltamontes indefensos y debido a esta concepción de nosotros mismos fuimos ante el enemigo saltamontes indefensos. Solo podemos ser para los demás lo que somos para nosotros mismos. Por lo tanto, cuando nos revalorizamos y empezamos a sentirnos como el gigante, un centro de poder, automáticamente cambiamos nuestra relación con los gigantes, reduciendo estos antiguos monstruos a su verdadero lugar, haciendo que ellos parezcan los indefensos saltamontes.

Pablo dijo acerca de este principio: "Es necedad para los gentiles (o los llamados sabios del mundo); y piedra de tropiezo para los judíos (o aquellos que buscan señales)"; con el resultado de que el ser humano sigue caminando en la oscuridad en lugar de despertar a la comprensión: "Yo Soy la luz del mundo".

Durante tanto tiempo hemos adorado las imágenes de nuestra propia creación que, al principio, esta revelación nos parece blasfema, pero el día en que descubrimos y aceptamos este principio como la base de nuestra vida, ese día acabamos con nuestra creencia en un Dios aparte de nosotros mismos.

La historia de la traición de Jesús en el Huerto de Getsemaní es la ilustración perfecta del descubrimiento de este principio por parte del individuo. Se nos dice que la multitud, armada con palos y antorchas, buscaba a Jesús en la oscuridad de la noche. Mientras preguntaban por el paradero de Jesús (la salvación), la voz respondió: "Yo Soy", entonces toda la multitud cayó al suelo. Al recuperar la compostura, nuevamente pidieron que se les mostrará el escondite del salvador y de nuevo el Salvador dijo: "Te he dicho que Yo Soy, por lo tanto, si me buscas, deja ir todo lo demás".

En la oscuridad de la ignorancia humana, la persona emprende la búsqueda de Dios, ayudada por la luz parpadeante de la sabiduría humana. Cuando se le revela que su Yo Soy o conciencia de ser es su salvador, el impacto es tan grande que mentalmente cae al suelo, ya que toda creencia que haya albergado se derrumba al darse cuenta de que su conciencia es el único salvador.

El conocimiento de que su Yo Soy es Dios, obliga al individuo a dejar ir a todos los demás, porque le resulta imposible servir a dos dioses. Él no puede aceptar a su conciencia de ser como Dios y al mismo tiempo creer en otra deidad.

14

Con este descubrimiento, el oído o la audición humana (entendimiento) es cortada por la espada de la fe (Pedro), mientras su audición (comprensión) perfecta y disciplinada es restaurada por (Jesús) el conocimiento de que Yo Soy es el Señor y Salvador. Antes de que una persona pueda transformar su mundo, primero debe poner este fundamento o entendimiento. "Yo soy el Señor". La persona debe saber que su conciencia de ser es Dios. Mientras esto no esté firmemente establecido, de modo que ninguna sugerencia o argumento de otros pueda sacudirlo, se encontrará regresando a la esclavitud de su creencia anterior. "Si no crees que Yo Soy, morirás en tus pecados". A menos que descubra que su conciencia es la causa de cada expresión de su vida, continuará buscando la causa de su confusión en el mundo de los efectos, y así morirá en su infructuosa búsqueda.

"Yo Soy la vid y ustedes son las ramas". La conciencia es la vid y aquello de lo que eres consciente de ser son como ramas que alimentas y mantienes vivas. Así, como una rama no tiene vida a menos que esté enraizada en la vid, del mismo modo, las cosas no tienen vida a menos que seas consciente de ellas. Al igual que una rama se marchita y muere si la savia de la vid deja de fluir hacia ella, así las cosas y las cualidades desaparecen si quitas tu atención de ellas; porque tu atención es la savia de la vida que sostiene la expresión de tu vida.

CAPÍTULO 4

¿A QUIÉN BUSCAS?

"Les he dicho que Yo Soy; por tanto, si me buscan a mí, dejen ir a estos" (Juan 18: 8).

"Cuando Jesús les dijo: «Yo soy», cayeron de espaldas al suelo" (Juan 18: 6)

Hoy en día se habla tanto de Maestros, Hermanos Mayores, Adeptos e iniciados, que innumerables buscadores de la verdad están siendo constantemente engañados al buscar estas falsas luces. La mayoría de estos pseudo-maestros ofrecen a sus alumnos, a cambio de un precio, la iniciación en los misterios, prometiéndoles guía y dirección. La debilidad que tienen las personas por los líderes, así como su adoración a los ídolos, las convierten en una presa fácil de estas escuelas y maestros. A la mayoría de estos alumnos inscritos les llegará algo bueno; descubrirán, tras años de espera y sacrificio, que estaban siguiendo un espejismo. Entonces se desilusionarán de sus escuelas y maestros, y esta decepción valdrá el esfuerzo y el precio que han pagado por su infructuosa búsqueda. En ese momento se apartarán de su adoración al ser humano y, al hacerlo, descubrirán que lo que buscan no se encuentra en otro, porque el Reino de los Cielos está dentro. Esta comprensión será su primera iniciación real. La lección aprendida será esta: Solo hay un Maestro y este Maestro es Dios, el YO SOY dentro de ellos mismos.

"Yo Soy el Señor tu Dios, que te saqué de la tierra de Egipto, de la casa de servidumbre".

Yo Soy, tu conciencia, es Señor y Maestro y fuera de tu conciencia no hay ni Señor ni Maestro. Tú eres el Maestro de todo lo que serás consciente de ser.

Sabes que eres, ¿no es así? Saber que tú eres es el Señor y Maestro de aquello que sabes que eres. Tú podrías ser aislado completamente de aquello que eres consciente de ser, sin embargo, a pesar de todas las barreras humanas, sin esfuerzo atraerías hacia ti todo lo que eres consciente de ser. Aquel que es consciente de ser pobre no necesita la ayuda de nadie para expresar su pobreza. Quien es consciente de ser enfermizo, aunque esté aislado en el lugar más hermético del mundo a prueba de gérmenes, expresaría enfermedad. No hay barrera para Dios, porque Dios es tu conciencia de ser. Sea cual sea tu conciencia de ser, puedes expresarla, y lo haces, sin esfuerzo. Deja de esperar a que venga el Maestro; él está contigo siempre. "Yo estoy contigo todos los días, hasta el fin del mundo".

En ocasiones sabrás que eres muchas cosas, pero no necesitas ser nada para saber que eres. Si lo deseas, puedes desprenderte del cuerpo que llevas; al hacerlo, te darás cuenta de que eres una conciencia sin rostro, sin forma, y que no dependes de la forma que eres en tu expresión. Sabrás que eres; también descubrirás que este saber que eres, es Dios, el Padre, que precedió a todo lo que alguna vez supiste que eras. Antes de que el mundo fuera, eras consciente de ser y entonces decías "Yo Soy"; y Yo Soy será, después de que todo lo que sabes que eres, deje de ser.

No hay Maestros Ascendidos. Destierra esa superstición. Tú siempre te elevarás de un nivel de conciencia (maestro) a otro; al hacerlo, manifiestas el nivel ascendido, expresando esta conciencia recién adquirida.

Dado que la conciencia es el Señor y el Maestro, tú eres el Maestro Mago que conjura lo que ahora eres consciente de ser. "Porque Dios (conciencia) llama a las cosas que no son, como si fueran". Las cosas que

19

ahora no se ven se verán en el momento en que seas consciente de ser lo que ahora no es visible. Este ascenso de un nivel de conciencia a otro es la única ascensión que experimentarás. Nadie puede elevarte al nivel que deseas. El poder de ascender está dentro de ti, es tu conciencia. Tú te apropias de la conciencia del nivel que deseas expresar, al afirmar que ahora estás expresando ese nivel. Esta es la ascensión. No tiene límites, porque nunca agotarás tu capacidad de ascender. Aléjate de la superstición humana de la ascensión con su creencia en los maestros, y encuentra al único y eterno maestro dentro de ti.

"El que está en ustedes es más grande que el que está en el mundo"

Cree esto. No continúes en la ceguera, siguiendo el espejismo de los maestros. Yo te aseguro que tu búsqueda solo puede terminar en decepción.

"Si me niegas (tu conciencia de ser) yo también te negaré a ti". "No tendrás otro Dios fuera de mi", "Quédate quieto y sabrás que Yo Soy Dios".

"Pónganme ahora a prueba en esto, dice el Señor de los ejércitos, si no les abro las ventanas de los cielos, y derramo para ustedes bendición hasta que sobreabunde".

¿Crees que el Yo Soy es capaz de hacer esto? Entonces, afirma ser aquello que quieres ver derramado. Reclama ser aquello que quieres ser y lo serás. No te lo daré a causa de los maestros, sino porque te has reconocido a ti mismo ser aquello, te lo daré porque YO SOY todas las cosas para todos. Jesús no permitió ser llamado maestro bueno. Él sabía que solo hay uno bueno y un maestro. Él sabía que este era Su Padre en el cielo, la conciencia de ser. "El Reino de Dios"(el Bien) y el Reino de los Cielos están dentro de ti. Tu creencia en los maestros es una confesión de tu esclavitud. Solo los esclavos tienen maestros. Cambia tu concepto de ti mismo y, sin la ayuda de maestros o ninguna otra persona, automáticamente transformarás tu mundo para ajustarse a tu nueva concepción de ti mismo.

En el Libro de Números se dice que hubo un tiempo en que los hombres eran a sus propios ojos como saltamontes y, debido a esta concepción de sí mismos, veían gigantes en la tierra. Esto es tan cierto para las personas de hoy como lo fue en el día en que se registró. La concepción que el individuo tiene de sí mismo es tan parecida a la de un saltamontes, que automáticamente hace que las condiciones que le rodean parezcan gigantescas; en su ceguera clama por maestros que le ayuden a luchar contra sus gigantescos problemas.

Jesús trató de mostrar al ser humano que la salvación estaba dentro de él mismo y le advirtió que no buscara a su salvador en lugares o personas. Si alguien viene diciendo mira aquí o mira allá, no le creas, porque el Reino de los Cielos está dentro de ti.

Jesús no solo se negó a permitir que le llamaran Maestro Bueno, sino que advirtió a sus seguidores: "A nadie saluden por el camino". Dejó claro que no debían reconocer ninguna autoridad o superior que no fuera Dios, el Padre.

Jesús estableció la identidad del Padre como la conciencia de ser del individuo. "Yo y mi Padre somos Uno, pero mi Padre es más grande que Yo". Yo Soy uno con todo lo que soy consciente de ser. Yo Soy más grande que aquello de lo que soy consciente de ser. El creador es siempre más grande que su creación.

"Como Moisés levantó la serpiente en el desierto, así también debe ser levantado el Hijo del Hombre" (Juan 3:14)

La serpiente simboliza el actual concepto que el individuo tiene de sí mismo: como un gusano del polvo, que vive en el desierto de la confusión humana. Al igual que Moisés se levantó de su concepción de gusano del polvo para descubrir que Dios era su conciencia de ser, "Yo Soy, me ha enviado", así tú también debes ser levantado. El día que afirmes, como lo hizo Moisés, "Yo Soy el que Soy" ese día tu afirmación florecerá en el desierto.

Tu conciencia es el Maestro mago que conjura todas las cosas al ser aquello que conjura. Este Señor y Maestro que eres puede —y hace— que aparezca en tu mundo todo lo que tienes conciencia de ser.

"Nadie viene a Mí (manifestación) si no lo trae el Padre que me envió" y "Yo y mi Padre somos Uno". Constantemente estás atrayendo hacia ti mismo aquello que eres consciente de ser. Cambia tu concepto de ti mismo, del de esclavo al de Cristo. No te avergüences de hacer esta afirmación; solo en la medida en que afirmes: "Yo soy Cristo", harás las obras de Cristo.

"Las obras que yo hago, él las hará también, y aún mayores que estas hará, porque yo voy al Padre" (Juan 14:12).

"No consideró el ser igual a Dios como algo a qué aferrarse" (Filipenses 2:6)

Jesús sabía que cualquiera que se atreviera a afirmar que es Cristo asumiría automáticamente las capacidades para expresar las obras de su concepción de Cristo. Jesús también sabía que el uso exclusivo de este principio de expresión no le correspondía solo a él. Constantemente se refería a Su Padre en el Cielo. Él declaró que sus obras no solo serían igualadas, sino que serían superadas por aquel que se atreviera a concebirse a sí mismo como más grande de lo que él (Jesús) se había concebido a sí mismo.

Jesús, al afirmar que él y su Padre eran uno, pero que su Padre era más grande que él, reveló que su conciencia (Padre) era uno con aquello con lo que él era consciente de ser. Se encontró a sí mismo como Padre, o la conciencia de ser, más grande que lo que él, como Jesús, era consciente de ser. Tú y tu concepción de ti mismo son uno. Tú eres y siempre serás más grande que cualquier concepción que tengas de ti mismo.

El individuo falla en hacer las obras de Jesucristo porque intenta realizarlas desde su actual nivel de conciencia. Nunca trascenderás tus logros actuales a través del sacrificio y la lucha. Tu actual nivel de conciencia solo será trascendido cuando dejes el estado actual y te eleves a un nivel superior.

Te elevas a un nivel superior de conciencia, sacando tu atención de tus limitaciones actuales y poniéndola en aquello que deseas ser. No intentes esto soñando despierto o con simples ilusiones, sino de manera positiva. Afirma ser lo que deseas. Yo Soy eso; sin sacrificios, sin dietas, sin trucos humanos. Todo lo que se te pide es que aceptes tu deseo. Si te atreves a reclamarlo, lo expresarás.

Medita en esto: "No quieres los sacrificios de los hombres". "No por la fuerza ni por el poder, sino por el espíritu". "Pide y se te dará". " Vengan, compren vino y leche sin dinero y sin costo alguno".

Las obras están terminadas. Todo lo que se requiere de ti, para dejar que estas cualidades se expresen, es la afirmación: YO SOY eso. Afirma que eres lo que deseas ser y que serás. Las expresiones siguen las impresiones, no las preceden. La prueba de que eres, seguirá a la afirmación de que eres, no la precederá.

"Deja todo y sígueme" es una doble invitación para ti. Primero, te invita a alejarte completamente de todos los problemas y, luego, te llama a seguir caminando en la afirmación de que eres lo que deseas ser. No seas la mujer de Lot que mira hacia atrás y se convierte en sal o preservada en el pasado muerto. Sé como Lot, que no mira hacia atrás, sino que mantiene su visión enfocada en la tierra prometida, en lo deseado. Haz esto y sabrás que has encontrado al maestro, el mago, que lo invisible se haga visible, a través de la orden: "Yo Soy Eso".

CAPÍTULO 5

¿QUIÉN SOY YO?

"Y ustedes, ¿quién dicen que soy Yo?"
(Mateo 16:15)

"Yo Soy el Señor; ese es mi nombre; y mi gloria a otro no daré" (Isaías 42-8)

"Yo Soy el Señor, el Dios de toda carne".
(Jeremías 32:27)

Este Yo Soy dentro de ti, lector, esta conciencia de ser, es el Señor, el Dios de toda carne.

Yo Soy es el que debe venir; deja de buscar a otro.

Mientras creas en un Dios aparte ti mismo, continuarás transfiriendo el poder de tu expresión a tus concepciones, olvidando que tú eres el que concibe.

26

El poder que concibe y lo concebido son uno, pero el poder de concebir es mayor que la concepción.

Jesús descubrió esta gloriosa verdad, cuando declaró: "Yo y mi Padre somos uno, pero mi Padre es más grande que Yo"

El poder que se concibe a sí mismo como ser humano, es más grande que su concepción. Todas las concepciones son limitaciones del que concibe.

"Antes de que Abraham fuera, Yo Soy". Antes que el mundo fuera, Yo Soy.

La conciencia precede a todas las manifestaciones y es el apoyo sobre el cual descansa toda manifestación. Para eliminar las manifestaciones, todo lo que se requiere de ti, el concebidor, es retirar tu atención de la concepción. De hecho, en lugar de "Fuera de la vista, fuera de la mente", es "Fuera de la mente, fuera de la vista". La manifestación permanecerá a la vista solo mientras agote la fuerza con la que el concebidor —Yo Soy— la dotó originalmente. Esto se aplica a toda la creación, desde el electrón infinitesimalmente pequeño hasta el universo infinitamente grande.

"Estén quietos, y sepan que Yo soy Dios".

Sí, este Yo Soy, tu conciencia de ser, es Dios, el único Dios. Yo Soy es el Señor, el Dios de toda Carne, de toda manifestación.

Esta presencia, tu conciencia incondicionada, no comprende ni principio ni fin; las limitaciones solo existen en la manifestación. Cuando te das cuenta de que esta conciencia es tu ser eterno, sabrás que antes de que Abraham fuera, Yo Soy.

Comienza a comprender por qué se te dijo: "Ve y haz tú lo mismo". Comienza ahora a identificarte con esta presencia, tu conciencia, como la única realidad. Todas las manifestaciones no son más que apariencias; tú, como ser humano, no tienes más realidad que la que tu ser eterno, Yo Soy, cree que es.

"¿Quién dicen que soy Yo?" Esta no es una pregunta formulada hace dos mil años. Es la eterna pregunta dirigida a la manifestación por el concebidor. Es tu verdadero yo, tu conciencia de ser, preguntándote su presente concepción de sí misma. "¿Quién crees que es tu conciencia?" Esta respuesta solo puede definirse dentro de ti mismo, independientemente de la influencia de otro.

Yo Soy (tu verdadero ser) no está interesado en la opinión del mundo. Todo su interés descansa en tu convicción de ti mismo. ¿Qué dices del Yo Soy dentro de ti? ¿Puedes responder y decir: "Yo Soy Cristo"? Tu respuesta o el grado de comprensión determinará el lugar que ocuparás en la vida.

¿Dices o crees que eres de una determinada familia, raza, nación, etc.? ¿Crees honestamente esto de ti mismo? En ese caso, la vida, tu verdadero ser, hará que estas concepciones aparezcan en tu mundo y vivirás con ellas como si fueran reales.

"Yo Soy la puerta"; "Yo soy el camino"; "Yo Soy la resurrección y la vida"; "Nadie viene al Padre sino por mí".

El Yo Soy (tu conciencia) es la única puerta a través de la cual cualquier cosa puede entrar en tu mundo. Deja de buscar señales. Los señales siguen; no preceden. Comienza a invertir la afirmación "Ver para Creer" por "Creer para Ver". Comienza ahora a creer, no con esa confianza vacilante basada en la engañosa evidencia externa, sino con una firme confianza basada en la inmutable ley de que puedes ser lo que deseas ser. Te darás cuenta que no eres una víctima del destino, sino una víctima de la fe (la tuya).

Solo a través de una puerta puede pasar lo que buscas al mundo de la manifestación. "Yo soy la puerta". Tu conciencia es la puerta, así que debes ser consciente de ser y tener aquello que deseas ser y tener. Cualquier intento de realizar tus deseos de otra manera que no sea a través de la puerta de la conciencia, te convierte en un ladrón y en un asaltante de ti mismo. Cualquier expresión que no se sienta es antinatural. Antes de que algo aparezca, Dios, Yo Soy, se siente a sí mismo como la cosa deseada; y entonces la cosa sentida aparece. Es resucitado; levantado de la nada.

Yo soy rico, pobre, saludable, enfermo, libre, confinado, fueron primero impresiones o condiciones sentidas, antes de que se convirtieran en expresiones visibles. Tu mundo es tu conciencia exteriorizada. No pierdas el tiempo tratando de cambiar el exterior; cambia el interior o la impresión, y el exterior o la expresión se encargará de sí mismo. Cuando la verdad de esta afirmación despierte en ti, sabrás que has encontrado la palabra perdida o la llave de todas las puertas. Yo Soy (tu conciencia) es la palabra mágica perdida que se hizo carne a semejanza de lo que eres consciente de ser.

Yo soy él. En este momento, te estoy cubriendo a ti, lector, mi templo viviente, con mi presencia, instándote a una nueva expresión. Tus deseos son mis palabras habladas. Mis palabras son espíritu y son verdaderas, y no volverán a mí vacías, sino que cumplirán aquello a lo que han sido enviadas. No son algo que haya que elaborar. Son prendas que el Yo —tu ser sin rostro y sin forma— utiliza. ¡He aquí! Yo, vestido con tu deseo, estoy a la puerta (tu conciencia) y llamo. Si oyes mi voz y me abres (me reconoces como tu salvador), entraré en ti y cenaré contigo y tú conmigo.

¿Cómo se cumplirán mis palabras, tus deseos? Eso no te concierne. Mis palabras tienen maneras que tú no conoces. No podemos averiguar sus maneras. Todo lo que se requiere de ti, es que creas. Cree que tus deseos son las prendas que usa tu salvador. Tu creencia de que ahora eres lo que deseas ser es la prueba de tu aceptación de los dones de la vida. Has abierto la puerta para que tu Señor, vestido con tu deseo, entre en el momento en que estableces esta creencia.

"Cuando oren, crean que han recibido y recibirán". "Todas las cosas son posibles para el que cree". Haz posible lo imposible a través de tu creencia; y lo imposible (para los demás) se materializará en tu mundo.

Todos han tenido pruebas del poder de la fe. La fe que mueve montañas es la fe en ti mismo. Nadie puede tener fe en Dios si no tiene confianza en sí mismo. Tu fe en Dios se mide por tu confianza en ti mismo. "Yo y mi Padre somos uno", el individuo y su Dios son uno, la conciencia y la manifestación son una.

Y Dios dijo: "Que haya un firmamento en medio de las aguas". En medio de todas las dudas y opiniones cambiantes de los demás, que haya una convicción, una creencia firme, y verás la tierra seca; tu creencia aparecerá. La recompensa es para el que persevera hasta el fin. Una convicción no es convicción si puede ser sacudida. Tu deseo será como nubes sin lluvia a menos que creas.

Tu conciencia incondicionada, o Yo Soy, es la Virgen María que no conoció varón, sin embargo, sin ayuda del hombre, concibió y dio a luz un hijo. María, la conciencia condicionada, deseaba y luego se hizo consciente de ser el estado condicionado que deseaba

31

expresar, y de una manera desconocida para los demás se convirtió en eso. Ve y haz lo mismo; asume la conciencia de ser lo que deseas ser y tú también darás a luz a tu salvador.

Cuando se haga la anunciación, cuando el impulso o el deseo esté en ti, cree que es la palabra de Dios que busca encarnarse a través de ti. Ve, no le digas a nadie de esta cosa santa que has concebido. Encierra tu secreto dentro de ti y magnifica al Señor, magnifica o cree que tu deseo es tu salvador que viene a estar contigo.

Cuando esta creencia esté tan firmemente establecida que te sientas seguro de los resultados, tu deseo se encarnará. ¿Cómo se hará? Nadie lo sabe. Yo, tu deseo, tiene maneras que no conoces; mis caminos son insondables. Tu deseo puede ser comparado con una semilla; las semillas contienen en sí mismas tanto el poder como el plan de autoexpresión. Tu conciencia es el suelo. Estas semillas se plantan con éxito solamente si, después de haber afirmado ser y tener aquello que deseas, confiadamente esperas los resultados, sin ningún pensamiento ansioso.

Si me elevo en la conciencia a la naturalidad de mi deseo, automáticamente atraeré la manifestación hacia mí. La conciencia es la puerta a través de la cual se revela la vida. La conciencia siempre se exterioriza.

Ser consciente de ser o tener algo, es ser o tener aquello de lo que eres consciente de ser o tener. Por lo tanto, elévate a la conciencia de tu deseo y lo verás manifestarse automáticamente. Para hacerlo, debes negar tu identidad actual. "Que se niegue a sí mismo". Niegas una cosa apartando tu atención de ella. Para dejar de lado una cosa, un problema o un ego de la conciencia, debes permanecer en Dios —Dios es Yo Soy. "Quédate quieto y sabrás que Yo Soy Dios". Cree, siente que Yo Soy; sabiendo que este conocedor dentro de ti, tu conciencia de ser, es Dios. Cierra tus ojos y siéntete sin rostro, sin forma y sin figura. Acércate a esta quietud como si fuera lo más fácil del mundo. Esta actitud asegurará tu éxito.

Cuando todo pensamiento de problema o del yo se desprende de la conciencia, porque ahora estás absorto o perdido en el sentimiento de ser simplemente Yo Soy, entonces, en este estado sin forma, comienza a sentirte a ti mismo como aquello que deseas ser. "Yo Soy el que soy".

En el momento en que alcanzas un cierto grado de intensidad, de modo que realmente te sientes ser el nuevo concepto, este nuevo sentimiento o conciencia se establece y a su debido tiempo se personificará en el mundo de la forma. Esta nueva percepción se expresará con la misma naturalidad con la que ahora expresas tu identidad actual.

Para expresar naturalmente las cualidades de una conciencia, debes morar o vivir dentro de esa conciencia. Apropiarse de ella haciéndose uno con ella. Sentir una cosa intensamente y luego descansar confiadamente en que es, hace que la cosa sentida aparezca dentro de tu mundo. "Estaré en mi puesto de guardia", y "veré la salvación del Señor". Me mantendré firme en mi sentimiento, convencido de que es así, y veré aparecer mi deseo. "Un hombre no puede recibir nada (ninguna cosa) excepto que le sea dado desde el cielo". Recuerda que el cielo es tu conciencia; el Reino de los Cielos está dentro de ti. Por eso se te advierte que no llames a ningún hombre Padre; tu conciencia es el Padre de todo lo que eres. También se te dice: "A nadie saluden por el camino". No mires a nadie como una autoridad. ¿Por qué deberías pedir permiso para expresarte cuando te das cuenta de que tu mundo, en todos sus detalles, se originó dentro de ti y es sostenido por ti como el único centro conceptual?

Todo tu mundo puede ser comparado a un espacio solidificado que refleja las creencias y lo que aceptas, proyectado por una presencia sin forma y sin rostro, es decir, Yo Soy. Reduce el todo a su sustancia primordial y no quedará nada más que tú, una presencia sin dimensión, el concebidor.

El concebidor es una ley aparte. Bajo esa ley, las concepciones no deben medirse por los logros del pasado ni modificarse por las capacidades del presente, ya que, sin tomar en cuenta el pensamiento, la concepción se expresa de una manera desconocida para el ser humano.

Ve a tu interior en secreto y aprópiate de la nueva conciencia. Siéntete que eres ella y las antiguas limitaciones desaparecerán tan completa y fácilmente como la nieve en un caluroso día de verano. Ni siquiera recordarás las antiguas limitaciones; nunca fueron parte de esta nueva conciencia.

A ese renacimiento se refería Jesús cuando le dijo a Nicodemo: "Es necesario nacer de nuevo", esto no era más que pasar de un estado de conciencia a otro.

"Todo lo que pidan en mi nombre, yo lo haré ". Esto ciertamente no significa pedir con palabras, pronunciando con los labios los sonidos, Dios o Jesucristo, pues millones han pedido de esta manera sin resultados. Sentirse siendo algo, es haber pedido en su nombre. Yo Soy es la presencia sin nombre. Sentirse rico es pedir riqueza en su nombre. Yo Soy no está condicionado. No es ni rico ni pobre, ni fuerte ni débil. En otras palabras, en él no hay ni griego ni judío, ni atadura ni libertad, ni masculino ni femenino. Todas estas son concepciones o limitaciones de lo ilimitado y, por lo tanto, los nombres de aquello sin-nombre.

Sentir que eres algo es pedir al sin-nombre, Yo Soy, que exprese ese nombre o naturaleza. Todo lo que pidas en mi nombre, apropiándote de la naturaleza de lo deseado, yo te lo daré.

CAPÍTULO 6

YO SOY ÉL

"Porque si no creen que Yo Soy, morirán en sus
pecados" (Juan 8:24)

"Todas las cosas fueron hechas por él, y sin él nada
de lo que ha sido hecho, fue hecho" (Juan 1:3). Este es
un dicho difícil de aceptar para aquellos entrenados en
los diversos sistemas de la religión ortodoxa, pero ahí
está.
    Todas las cosas, buenas, malas e indiferentes,
fueron hechas por Dios. "Dios hizo al hombre
(manifestación) a su propia imagen y semejanza".
Aparentemente, añadiendo a esta confusión se dice:
"Y Dios vio que su creación era buena".
    ¿Qué harás con esta aparente confusión? ¿Cómo es
posible considerar todas las cosas como buenas
cuando lo que se le enseña a la gente niega este

37

hecho? O bien la comprensión de Dios es errónea o hay algo radicalmente equivocado en la enseñanza de la humanidad.

"Para el puro, todas las cosas son puras". Esta es otra declaración que desconcierta. Todas las personas buenas, las personas puras, las personas santas, son las mayores prohibicionistas. Ahora, si juntamos la declaración anterior con esta otra, "No hay condenación en Cristo Jesús", obtenemos una barrera infranqueable para los autoproclamados jueces del mundo. Tales declaraciones no significan nada para los jueces farisaicos que cambian y destruyen ciegamente las sombras. Continúan en la firme creencia de que están mejorando el mundo. El individuo, sin saber que su mundo es su conciencia individual manifestada, se esfuerza vanamente por ajustarse a la opinión de los demás, en lugar de ajustarse a la única opinión existente, es decir, su propio juicio sobre sí mismo.

Cuando Jesús descubrió que su conciencia era esta maravillosa ley de autogobierno, declaró: "Y por ellos yo me santifico a mí mismo, para que también ellos sean santificados en la verdad". Él sabía que la conciencia era la única realidad, que las cosas manifestadas no eran más que diferentes estados de conciencia. Jesús advirtió a sus seguidores a buscar primero el Reino de los Cielos (ese estado de conciencia que produciría lo deseado) y todas las cosas les serían añadidas. También declaró: "Yo Soy la Verdad". Él sabía que la conciencia era la verdad o la causa de todo lo que el individuo veía que era su mundo. Jesús se dio cuenta de que el mundo estaba hecho a semejanza del individuo. Sabía que la persona veía su mundo como era porque ella era la que era. En resumen, la concepción que tiene cada persona de sí misma, determina lo que ve que es su mundo.

Todas las cosas son hechas por Dios (la conciencia) y sin él nada de lo que fue hecho ha sido hecho. La creación se considera buena, y muy buena, porque es la perfecta semejanza de aquella conciencia que la produjo. Ser consciente de ser una cosa y luego verte expresando algo distinto a lo que eres consciente de ser es una violación de la ley del ser; por lo tanto, no sería bueno. La ley del ser nunca se rompe; las personas siempre se ven a sí mismas expresando lo que tienen conciencia de ser. Puede ser bueno, malo o indiferente, no obstante, es una semejanza perfecta de su concepción de sí mismas; es bueno y muy bueno.

No solo todas las cosas están hechas por Dios, todas las cosas están hechas de Dios. Todos son descendientes de Dios. Dios es Uno. Las cosas o divisiones son las proyecciones del uno. Siendo Dios uno, debe ordenarse a sí mismo ser el aparente otro porque no hay otro. El absoluto no puede contener en sí mismo algo que no sea él mismo. Si lo hiciera, no sería absoluto, el único.

Los mandatos, para que sean efectivos, deben ser para uno mismo. "Yo Soy el que Soy" es el único mandato efectivo. "Yo soy el Señor y fuera de mí no hay otro". No puedes mandar lo que no es. Y como no hay otro, debes mandarte a ti mismo ser lo que quieres que aparezca.

Déjame aclarar lo que quiero decir con un mandato efectivo. No repitas como un loro la afirmación: "Yo Soy el que Soy", tal vana repetición sería tanto necia como infructuosa. No son las palabras las que lo hacen efectivo; es la conciencia de ser aquello, lo que hace que sea efectivo. Cuando dices "Yo Soy" estás declarando que eres. La palabra "*el que*", en la declaración "Yo Soy *el que* Soy", indica lo que tú serías. El segundo "Soy" en la cita es el grito de la victoria.

Todo este drama tiene lugar internamente con o sin el uso de palabras. Quédate quieto y reconoce que eres. Esta quietud se logra observando al observador. Repite en voz baja, pero con sentimiento: "Yo Soy - Yo Soy" hasta que hayas perdido toda conciencia del mundo y te reconozcas a ti mismo solo como siendo. La conciencia, el saber que eres, es Dios Todopoderoso; Yo Soy. Después que logres esto, defínete a ti mismo como aquello que deseas ser, sintiéndote ser lo deseado: Yo Soy eso. Esta comprensión de que eres lo deseado, hará que una emoción recorra todo tu ser. Cuando se establece la convicción y realmente crees que eres aquello que deseabas ser, entonces el segundo "Yo Soy" es pronunciado como un grito de victoria. Esta revelación mística de Moisés puede verse como tres pasos distintos: Yo Soy; Yo Soy libre; Yo realmente Soy.

No importa cómo sean las apariencias a tu alrededor. Todas las cosas dan paso a la venida del Señor. Yo Soy el Señor que viene en la apariencia de lo que tengo conciencia de ser. Ni todos los habitantes de la tierra pueden detener mi venida, ni cuestionar mi autoridad de ser lo que yo soy consciente de que soy. "Yo Soy la luz del mundo", cristalizando en la forma de mi concepción de mí mismo. La conciencia es la luz eterna que se cristaliza solo a través del medio de tu concepción de ti mismo. Cambia tu concepto de ti mismo y automáticamente cambiarás el mundo en el que vives. No intentes cambiar a la gente; solo son mensajeros que te dicen quién eres. Revalorízate a ti mismo y ellos confirmarán el cambio.

Ahora comprenderás por qué Jesús se santificó a sí mismo en lugar de a otros; por qué para el puro todas las cosas son puras; por qué en Cristo Jesús (la conciencia despierta) no hay condenación. Despierta del sueño de la condenación y prueba el principio de la vida. Deja de juzgar a los demás y de condenarte a ti mismo.

41

Escucha la revelación de los iluminados: "Yo sé y estoy convencido en el Señor Jesús, de que nada es inmundo en sí mismo; pero para el que estima que algo es inmundo, para él lo es". Además: "Bienaventurado el que no se condena a sí mismo en lo que aprueba".

Deja de cuestionarte si eres digno o indigno de reclamar ser lo que deseas ser. Serás condenado por el mundo solo mientras te condenes a ti mismo.

No necesitas hacer nada. Las obras están terminadas. El principio, por el cual todas las cosas son hechas y sin el cual nada de lo que ha sido hecho fue hecho, es eterno. Tú eres este principio. Tu conciencia de ser es esta ley eterna. Nunca has expresado nada que no fueras consciente de ser y nunca lo harás. Asume la conciencia de aquello que deseas expresar. Reclámalo hasta que se convierte en una manifestación natural. Siéntelo y vive dentro de ese sentimiento hasta que lo conviertas en tu naturaleza.

Aquí tienes una fórmula sencilla. Retira tu atención de tu concepción actual de ti mismo y ponla en ese ideal tuyo, el ideal que hasta ahora habías pensado que estaba fuera de tu alcance. Afirma que eres tu ideal, no como algo que serás con el tiempo, sino como lo que eres en el presente inmediato. Si lo haces, tu mundo actual de limitaciones se desintegrará mientras tu nueva afirmación se levanta como el ave fénix de sus cenizas.

"No teman, ni se acobarden delante de esta gran multitud, porque la batalla no es de ustedes, sino de Dios". No luches contra tu problema; tu problema solo vivirá mientras seas consciente de él. Saca tu atención de tu problema y de la multitud de razones por las cuales no puedes alcanzar tu ideal. Concentra tu atención completamente en lo deseado.

"Deja todo y sígueme". Ante los obstáculos aparentemente montañosos, reclama tu libertad. La conciencia de libertad es el Padre de la libertad. Tiene una forma de expresarse que nadie conoce.

"No necesitan pelear en esta batalla; tomen sus puestos y estén quietos, y vean la salvación del Señor con ustedes" (2 crónicas 20:17)

"Yo Soy el Señor". Yo Soy (tu conciencia) es el Señor. La conciencia de que la cosa está hecha, de que el trabajo está terminado, es el Señor de cualquier situación. Escucha atentamente la promesa: "No necesitas pelear en esta batalla; toma tu puesto y quédate quieto, y ve la salvación del Señor contigo".

¡Contigo! Esa conciencia particular con la que te identificas es el Señor del acuerdo. Él establecerá, sin ayuda, lo acordado en la tierra. Ante el ejército de razones por las que no se puede hacer una cosa, ¿puedes pactar tranquilamente con el Señor que se haga? Ahora que has encontrado al Señor como tu conciencia de ser, ¿puedes ser consciente de que la batalla está ganada? Sin importar cuán cerca y amenazante parezca el enemigo, ¿puedes continuar en tu confianza, quedándote quieto, sabiendo que la victoria es tuya? Si puedes, verás la salvación del Señor. Recuerda que la recompensa es para el que perdura.

Quédate quieto. Quedarse quieto es la profunda convicción de que todo está bien; está hecho. No importa lo que se escuche o se vea, uno permanece imperturbable, consciente de salir victorioso al final.

Todas las cosas son hechas por tales acuerdos, y sin tal acuerdo, nada de lo que ha sido hecho, fue hecho. "Yo Soy el que Soy".

En el Apocalipsis se registra que aparecerán un nuevo cielo y una nueva tierra. A Juan, que se le mostró esta visión, se le dijo que escribiera: "Está hecho". El cielo es tu conciencia y la tierra su estado solidificado. Por lo tanto, acepta como lo hizo Juan: "Está hecho".

Todo lo que se requiere de ti, que buscas un cambio, es elevarte al nivel de aquello que deseas; sin detenerse en la forma de expresión, registra que está hecho, sintiendo la naturalidad de serlo.

He aquí una analogía que puede ayudarte a ver este misterio. Supongamos que entras en una sala de cine justo cuando la película llega a su fin. Todo lo que viste de la película fue el final feliz. Como quieres ver la historia completa, esperas a que se desarrolle de nuevo. Con la secuencia anticlimática, el héroe se muestra como acusado, rodeado de pruebas falsas, y todo eso sirve para arrancar lágrimas al público. Pero tú, con la seguridad de conocer el final, te quedas tranquilo sabiendo que, independientemente de la dirección aparente del cuadro, el final ya está definido.

De la misma manera, ve al final de lo que buscas; presencia el final feliz de ello sintiendo conscientemente que expresas y posees lo que deseas expresar y poseer; y tú, a través de la fe, comprendiendo ya el final, tendrás la confianza nacida de este conocimiento. Este conocimiento te sostendrá durante el intervalo de tiempo necesario para que la imagen se desarrolle. No pidas ayuda a nadie; siente: "Está hecho", afirmando conscientemente que ahora eres eso que esperas ser.

CAPÍTULO 7

HÁGASE TU VOLUNTAD

"No se haga mi voluntad, sino la tuya"
(Lucas 22:42)

"No se haga mi voluntad, sino la tuya". Esta resignación no es un ciego entendimiento de que "no puedo hacer nada por mí mismo, el Padre dentro de mí hace las obras". Cuando alguien desea, intenta hacer aparecer en el tiempo y en el espacio lo que ahora no existe. Muy a menudo no somos conscientes de lo que realmente estamos haciendo. Afirmamos inconscientemente que no poseemos las capacidades para expresarlo. Predicamos nuestro deseo con la esperanza de adquirir las capacidades necesarias en el futuro. "No soy, pero seré".

Al no comprender que la conciencia es el Padre que hace el trabajo, el individuo intenta expresar aquello que no es consciente de ser. Tales esfuerzos están condenados al fracaso; solo el presente se expresa sí mismo. A menos que sea consciente de ser aquello que busco, no lo encontraré. Dios (tu conciencia) es la sustancia y la plenitud de todo. La voluntad de Dios es el reconocimiento de lo que es, no de lo que será. En lugar de ver este dicho como "Hágase tu voluntad", míralo como "Se ha hecho tu voluntad". Las obras están terminadas.

El principio por el cual todas las cosas se hacen visibles, es eterno.

"Ningún ojo ha visto, ningún oído ha escuchado, ninguna mente humana ha concebido lo que Dios ha preparado para quienes lo aman" (1 Corintios 2:9).

Cuando un escultor mira un trozo de mármol sin forma, está viendo, enterrada en su masa sin forma, su obra de arte terminada. El escultor, en lugar de hacer su obra maestra, se limita a revelarla quitando la parte del mármol que oculta su concepción. Lo mismo ocurre contigo. En tu conciencia sin forma está enterrado todo lo que alguna vez concebirás que eres. El reconocimiento de esta verdad te transformará de un trabajador inexperto que intenta que sea así a un gran artista que reconoce que es así.

Tu afirmación de que ahora eres lo que quieres ser, removerá el velo de la oscuridad humana y revelará perfectamente tu afirmación: Yo soy eso.

La voluntad de Dios fue expresada en las palabras de la viuda: "Está bien". La voluntad humana habría dicho: "Estará bien". Afirmar: "Estaré bien", es como decir: "Estoy enfermo". Dios, el Eterno Ahora, no es burlado por palabras o vanas repeticiones. Dios personifica continuamente lo que es. Por lo tanto, la resignación de Jesús (que se hizo a sí mismo igual a Dios) fue pasar del reconocimiento de la carencia (que el futuro indica con "yo seré") al reconocimiento del suministro, diciendo: "Yo soy eso; está hecho; gracias, Padre".

Ahora verás la sabiduría en las palabras del profeta cuando dice: "Deja que el débil diga, Yo Soy fuerte". Sin embargo, en su ceguera, la gente no quiere prestar atención al consejo del profeta; siguen afirmando que son débiles, pobres, desdichados y todas las demás expresiones indeseables de las que intentan liberarse, afirmando ignorantemente que se liberarán de estas características en un futuro. Tales pensamientos frustran la única ley que alguna vez puede liberarlos.

Solo hay una puerta por la que puede entrar en tu mundo aquello que buscas. "Yo soy la puerta" (Juan 10:9).

Cuando dices "Yo Soy", estás declarando que eres, en primera persona, en tiempo presente; no hay futuro. Saber que Yo Soy es tener conciencia de ser. La conciencia es la única puerta. A menos que seas consciente de ser lo que buscas, buscas en vano. Si juzgas según las apariencias, seguirás esclavizado por la evidencia de tus sentidos. Para romper este hechizo hipnótico de los sentidos, se te dice: "Entra y cierra la puerta". La puerta de los sentidos debe estar bien cerrada antes de que tu nueva demanda pueda ser atendida. Cerrar la puerta de los sentidos no es tan difícil como parece al principio. Se hace sin esfuerzo.

Es imposible servir a dos amos al mismo tiempo. El amo al que se sirve es aquello que se tiene conciencia de ser. Yo soy Señor y Amo de lo que soy consciente de ser. No me supone ningún esfuerzo conjurar la pobreza si soy consciente de ser pobre. Mi sirviente (la pobreza) está obligado a seguirme (conciencia de pobreza) mientras Yo Soy (el Señor) consciente de ser pobre.

En lugar de luchar contra la evidencia de los sentidos, afirma que eres lo que deseas ser. Al poner tu atención en esta afirmación, las puertas de los sentidos se cierran automáticamente contra tu antiguo amo (aquello que eras consciente de ser). A medida que te pierdes en el sentimiento de ser eso que ahora afirmas que es verdad de ti mismo, las puertas de los sentidos se abren una vez más, revelando que tu mundo es la expresión perfecta de lo que eres consciente de ser.

Sigamos el ejemplo de Jesús que se dio cuenta que, como hombre, no podía hacer nada para cambiar su presente imagen de carencia. Él cerró la puerta de sus sentidos contra su problema y acudió a su Padre, aquel para quien todo es posible. Habiendo negado la evidencia de sus sentidos, afirmó ser todo lo que, un momento antes, sus sentidos le dijeron que no era. Sabiendo que la conciencia expresa su semejanza en la tierra, él permaneció en la conciencia reclamada hasta que las puertas (sus sentidos) se abrieron y confirmaron el gobierno del Señor.

Recuerda, Yo Soy es el Señor de todo. Nunca más uses la voluntad humana que afirma: "Yo seré". Sé tan resignado como Jesús y afirma: "Yo Soy eso".

CAPÍTULO 8

NINGÚN OTRO DIOS

"Yo soy el primero, y yo soy el último; y fuera de
mí no hay Dios" (Isaías 44: 6)

"Yo soy Jehová tu Dios, que te saqué de la tierra de
Egipto, de la casa de servidumbre. No tendrás
dioses delante de mí" (Deuteronomio 5: 6-7)

"No tendrás otro Dios delante de mí". Mientras la
persona crea en un poder aparte de sí misma, se
privará del ser que es. Toda creencia en poderes
ajenos a sí mismo, ya sea para el bien o para el mal, se
convertirá en el molde de la imagen esculpida que se
adora.

Las creencias en el poder de los medicamentos
para curar, de las dietas para fortalecer, del dinero
para asegurar, son los valores o cambistas que deben

51

ser expulsados del poder, para que pueda manifestar indefectiblemente esa cualidad. Este entendimiento echa fuera a los cambistas del Templo. "Ustedes son el Templo del Dios Vivo", un templo hecho sin manos"

"Está escrito: Mi casa será llamada casa de oración, pero ustedes han hecho de ella una cueva de ladrones".

Los ladrones que te roban son tus propias creencias falsas. Es tu creencia en una cosa, no la cosa misma, la que te ayuda. Solo hay un poder: Yo Soy él. Debido a tu creencia en las cosas externas, le das poder a ellas transfiriendo el poder que tú eres a la cosa externa. Reconoce que tú mismo eres el poder que has dado erróneamente a las condiciones externas.

La Biblia compara al hombre dogmático con el camello que no podía pasar por el ojo de la aguja. El ojo de la aguja, al que se refiere, era una pequeña puerta en las murallas de Jerusalén, que era tan estrecha que un camello no podía pasar por ella hasta que fuera liberado de su carga. El rico, es decir, el que está cargado de falsos conceptos humanos, no puede entrar en el Reino de los Cielos hasta que no se libere de su carga, como tampoco podría pasar el camello por esta pequeña puerta.

La gente se siente tan segura con sus leyes, opiniones y creencias, que las inviste de una autoridad que no poseen. Convencidos de que su conocimiento lo es todo, siguen sin saber que todas las apariencias externas no son más que estados mentales exteriorizados. Cuando se da cuenta de que la conciencia de una cualidad exterioriza esa cualidad sin la ayuda de ningún otro, o de muchos valores, establece el único valor verdadero, su propia conciencia.

"El Señor está en su santo templo". La conciencia habita dentro de lo que es consciente de ser. Yo Soy es el Señor y el ser humano es su templo. Sabiendo que la conciencia se exterioriza, el individuo debe perdonar a todos por ser lo que son. Debe darse cuenta de que todos están expresando (sin la ayuda de otro) aquello que son conscientes de ser.

Pedro, el hombre iluminado o disciplinado, sabía que un cambio de conciencia produciría un cambio de expresión. En lugar de simpatizar con los mendigos en la puerta del templo, declaró: "No tengo plata ni oro (para ti), pero lo que tengo (la conciencia de libertad) te doy".

"Aviva el don de Dios que está en ti". Deja de mendigar y afirma que eres aquello que decides ser. Haz esto y tú también saltarás de tu mundo paralizado al mundo de la libertad, cantando alabanzas al Señor, Yo Soy. "Mayor es aquel que está en ustedes que el que está en el mundo". Este es el canto de todo aquel que descubre que su conciencia de ser es Dios. Tu reconocimiento de este hecho limpiará automáticamente el templo, tu conciencia, de los ladrones y asaltantes, devolviéndote ese dominio sobre las cosas, que perdiste en el momento en que olvidaste el mandamiento: "No tendrás otro Dios fuera de mí".

CAPÍTULO 9

LA PIEDRA DE FUNDACIÓN

"Pero cada uno tenga cuidado de cómo construye, porque nadie puede poner un fundamento diferente del que ya está puesto, que es Jesucristo. Si alguien construye sobre este fundamento, ya sea con oro, plata y piedras preciosas, o con madera, heno y paja, su obra se mostrará tal cual es, pues el día del juicio la dejará al descubierto"
(1 Corintios 3:10-13)

El fundamento de toda expresión es la conciencia. Por más que lo intentes, no podrás encontrar otra causa de la manifestación que no sea tu conciencia de ser. Las personas creen haber encontrado la causa de las enfermedades en los gérmenes, la causa de las guerras en las ideologías políticas conflictivas y en la codicia. Todos estos descubrimientos de la humanidad, catalogados como la esencia de la sabiduría, son una tontería a los ojos de Dios. Solo hay un poder y este poder es Dios (la conciencia) Él mata; hace vivir; hiere; sana; hace todas las cosas, buenas, malas o indiferentes.

El individuo se mueve en un mundo que no es ni más ni menos que su conciencia exteriorizada. Sin saberlo, lucha contra sus reflejos mientras mantiene viva la luz y las imágenes que proyectan los reflejos.

"Yo Soy la luz del mundo". Yo Soy (la conciencia) es la luz. Aquello que soy consciente de ser (mi concepto de mí mismo) —como: "Yo Soy rico", "Yo Soy sano", "Yo Soy libre"— son las imágenes. El mundo es el espejo que magnifica todo lo que Yo Soy consciente de ser.

Deja de intentar cambiar el mundo, ya que solo es el espejo. El intento de cambiar el mundo por la fuerza es tan infructuoso como romper un espejo con la esperanza de cambiar la cara. Deja el espejo y cambia tu cara. Deja el mundo y cambia tu concepto de ti mismo. El reflejo entonces será satisfactorio.

La libertad o el aprisionamiento, la satisfacción o la frustración solo pueden diferenciarse por la conciencia de ser. Independientemente de tu problema, de su duración o de su magnitud, la cuidadosa aplicación de estas instrucciones eliminará en un tiempo asombrosamente corto incluso el recuerdo del problema. Hazte la siguiente pregunta:

"¿Cómo me sentiría si fuera libre?" En el mismo momento en que te haces sinceramente esta pregunta, llega la respuesta.

Nadie puede decirle a otro cómo es la satisfacción de su deseo cumplido. Le corresponde a cada uno dentro de sí mismo experimentar el sentimiento y la alegría de este cambio automático de conciencia. El sentimiento o la emoción que le llega a uno en respuesta a su autocuestionamiento es el estado de conciencia del Padre o la Piedra Fundamental sobre la que se construye el cambio de conciencia. Nadie puede saber cómo se encarnará este sentimiento, pero lo hará; el Padre (la conciencia) tiene caminos que nadie conoce; es la ley inmutable.

Todas las cosas expresan su naturaleza. Al llevar un sentimiento, éste se convierte en tu naturaleza. Puede tomar un momento o un año, depende completamente del grado de convicción. A medida que desaparecen las dudas y puedes sentir: "Yo Soy esto", comienzas a desarrollar el fruto o la naturaleza de lo que estás sintiendo que eres.

Cuando una persona se compra un sombrero o un par de zapatos, cree que todo el mundo sabe que son nuevos. Se siente poco natural con su ropa recién adquirida hasta que se convierte en una parte de ella. Lo mismo ocurre con el uso de los nuevos estados de conciencia. Cuando te haces la pregunta: "¿Cómo me sentiría si mi deseo se realizara en este momento?", la respuesta automática, hasta que no esté debidamente condicionada por el tiempo y el uso, es realmente incómoda. El período de adaptación para realizar este potencial de la conciencia es comparable al estreno de la ropa nueva. Al no saber que la conciencia siempre se está exteriorizando en las condiciones que te rodean, miras continuamente tu problema, como la mujer de Lot, y vuelves a quedar hipnotizado por su aparente naturalidad.

Presta atención a las palabras de Jesús (salvación): "Deja todo y sígueme". "Deja que los muertos entierren a los muertos". Tu problema puede tenerte tan hipnotizado por su aparente realidad y naturalidad que te resulta difícil vestir el nuevo sentimiento o conciencia de tu salvador. Debes asumir esta vestimenta si quieres tener resultados. La piedra (la conciencia) que los constructores rechazaron (no quisieron llevar) es la piedra angular y nadie puede poner otro fundamento.

CAPÍTULO 10

PARA EL QUE TIENE

"Por tanto, tengan cuidado de cómo oyen; porque
al que tiene, más le será dado; y al que no tiene,
aun lo que cree que tiene se le quitará"
(Lucas 8:18)

La Biblia, que es el mayor libro psicológico jamás
escrito, advierte la necesidad de estar atento de lo que
se oye; luego sigue esta advertencia con la afirmación:
"Al que tiene, más le será dado y al que no tiene, se le
quitará". Aunque muchos consideran esta afirmación
como una de las más crueles e injustas de los dichos
atribuidos a Jesús, sigue siendo una ley justa y
misericordiosa basada en el principio inmutable de la
vida.

La ignorancia del individuo sobre el
funcionamiento de la ley no lo excusa ni lo libra de

los resultados. La ley es impersonal, por lo tanto, no hace acepción de personas. Se advierte a las personas que deben ser selectivas en lo que escuchan y aceptan como verdadero. Todo lo que es aceptado como verdadero deja una impresión en la conciencia y, con el tiempo, debe definirse como prueba o refutación.

El oído perceptivo es el medio perfecto a través del cual el individuo registra las impresiones. Él debe disciplinarse para escuchar solo lo que quiere oír, sin importar los rumores o la evidencia de sus sentidos en sentido contrario. Al condicionar su oído perceptivo, reaccionará solo a las impresiones que haya decidido. Esta ley nunca falla. Completamente condicionado, se vuelve incapaz de escuchar otra cosa que no sea lo que contribuye a su deseo.

Como has descubierto, Dios es esa conciencia incondicionada que te da todo lo que eres consciente de ser. Ser consciente de ser o tener algo es ser o tener aquello de lo que eres consciente. Sobre este principio inmutable descansan todas las cosas. Es imposible que algo sea diferente a lo que tiene conciencia de ser. "Al que tiene (de lo que es consciente de ser) se le dará". Bueno, malo o indiferente, no importa, cada quien recibe multiplicado por cien aquello que es consciente de ser.

De acuerdo con esta ley inmutable: "Al que no tiene, se le quitará y se le añadirá al que tiene", el rico se hace más rico y el pobre más pobre. Solo se puede magnificar aquello que tienes conciencia de ser. Todas las cosas gravitan hacia esa conciencia con la que están en sintonía. Del mismo modo, todas las cosas se apartan de la conciencia con la que no están en sintonía. Toma la riqueza del mundo y divídela de forma equitativa entre todas las personas y, en poco tiempo, esta división equitativa será tan desproporcionada como en un principio. La riqueza volverá a los bolsillos de aquellos de quienes fue tomada. En lugar de unirte al coro de los que no tienen, que insisten en destruir a los que tienen, reconoce esta inmutable ley de expresión. Defínete conscientemente como aquello que deseas.

Una vez definido y establecido tu reclamo consciente, continúa en esta confianza hasta que recibas la recompensa. Tan cierto como que el día sigue a la noche, cualquier atributo, conscientemente reclamado, se manifestará.

De este modo, lo que para el mundo ortodoxo dormido es una ley cruel e injusta, se convierte para los iluminados en una de las declaraciones más misericordiosas y justas de la verdad.

"No he venido para destruir sino para cumplir". En realidad, nada se destruye. Cualquier destrucción aparente es el resultado de un cambio de conciencia. La conciencia siempre llena por completo el estado en el que habita. A quienes no están familiarizados con esta ley, el estado del que se separa la conciencia les parece destructivo. Sin embargo, esto es solo la preparación para un nuevo estado de conciencia.

Afirma ser aquello que quieres que se cumpla. "Nada se destruye. Todo se cumple". "Al que tiene, le será dado".

CAPÍTULO 11

NAVIDAD

"He aquí, una virgen concebirá y dará a luz un hijo, y le pondrán por nombre Emanuel, que significa: Dios con nosotros" (Mateo 1:23)

Una de las declaraciones más controvertidas del Nuevo Testamento se refiere a la concepción virginal y el posterior nacimiento de Jesús, una concepción en la que el hombre no tuvo participación alguna. Se registra que una virgen concibió un hijo sin la ayuda del hombre, luego secretamente y sin esfuerzo dio a luz a su concepción. Este es el fundamento sobre el cual descansa toda la cristiandad.

Se pide al mundo cristiano que crea esta historia, pues la humanidad debe creer lo increíble para expresar plenamente la grandeza que tiene.

Científicamente, las personas podrían estar inclinadas a descartar toda la Biblia como falsa porque su razón no le permite creer que el nacimiento virginal es fisiológicamente posible, pero la Biblia es un mensaje del alma y debe ser interpretada psicológicamente si se quiere descubrir su verdadera simbología. Es necesario ver esta historia como un drama psicológico y no como una declaración de hechos físicos. Al hacerlo, se descubrirá que la Biblia se basa en una ley que, si se aplica por sí misma, dará como resultado una expresión manifiesta que trascenderá sus más increíbles sueños de realización. Para aplicar esta ley de autoexpresión, el individuo debe ser educado en la creencia y disciplinado para pararse sobre la plataforma de que "todas las cosas son posibles para Dios".

Las fechas dramáticas más destacadas del Nuevo Testamento, como el nacimiento, la muerte y la resurrección de Jesús, fueron programadas y fechadas para que coincidieran con determinados fenómenos astronómicos. Los místicos que registraron esta historia notaron que en ciertas estaciones del año los cambios beneficiosos en la tierra coincidían con los cambios astronómicos de arriba. Al escribir este drama psicológico, han personificado la historia del alma como la biografía del ser humano. Utilizando estos cambios cósmicos, han marcado el Nacimiento y la Resurrección de Jesús para transmitir que los mismos cambios beneficiosos tienen lugar psicológicamente en la conciencia del individuo cuando sigue la ley.

Incluso para aquellos que no la entienden, la historia de la Navidad es una de las más bellas que se han contado. Cuando se despliega a la luz de su simbología mística, se revela como el verdadero nacimiento de toda manifestación en el mundo.

Está registrado que este nacimiento virginal tuvo lugar el 25 de diciembre o, como lo celebran ciertas sociedades secretas, en la víspera de Navidad, a la medianoche del 24 de diciembre. Los místicos establecieron esta fecha para marcar el nacimiento de Jesús porque estaba en consonancia con los grandes beneficios terrenales que significa este cambio astronómico.

Las observaciones astronómicas que llevaron a los autores de este drama a utilizar estas fechas fueron todas realizadas en el hemisferio norte; por lo que, desde el punto de vista astronómico, lo opuesto sería cierto si se viera desde las latitudes del sur. Sin embargo, esta historia fue registrada en el norte y, por lo tanto, fue basada en la observación del norte.

El ser humano muy pronto descubrió que el sol jugaba un papel importantísimo en su vida, la vida física, tal y como la conocía, no podía existir sin el sol. Así que estas fechas más importantes en la

NEVILLE GODDARD

historia de la vida de Jesús se basan en la posición del
sol visto desde la tierra en las latitudes del norte.

Después de que el sol alcanza su punto más alto en
los cielos en junio, cae gradualmente hacia el sur,
llevándose consigo la vida del mundo vegetal, de
modo que en diciembre casi toda la naturaleza se ha
apagado. Si el sol continuará cayendo hacia el sur,
toda la naturaleza se apagaría hasta morir. Sin
embargo, el 25 de diciembre, el sol comienza su gran
movimiento hacia el norte, trayendo consigo la
promesa de salvación y vida renovada para el mundo.
Cada día, a medida que el sol se eleva en los cielos, el
individuo adquiere la confianza de salvarse de la
muerte, a causa del frío y el hambre, pues sabe que, a
medida que se desplaza hacia el norte y cruza el
ecuador, toda la naturaleza se levantará de nuevo,
resucitará de su largo sueño invernal.

Nuestro día se mide de medianoche a medianoche
y, como el día visible comienza en el este y termina
en el oeste, los antiguos decían que el día nacía de
aquella constelación que ocupaba el horizonte oriental
a medianoche. En la víspera de Navidad, o en la
medianoche del 24 de diciembre, la constelación de
Virgo se eleva en el horizonte oriental. Por eso consta
que este Hijo y salvador del mundo nació de una
virgen.

También se registra que esta madre virgen viajaba
durante la noche, que se detuvo en una posada y se le

66

dio la única habitación disponible entre los animales y allí en un pesebre, donde los animales se alimentaban, los pastores encontraron al Santo Niño.

Los animales con los que se alojó la Santísima Virgen son los animales sagrados del zodiaco. Allí, en ese círculo de animales astronómicos en constante movimiento, se encuentra la Santa Madre, Virgo, y allí la verás cada medianoche del 24 de diciembre, de pie en el horizonte oriental cuando el sol y salvador del mundo comienza su viaje hacia el norte.

Psicológicamente, este nacimiento tiene lugar en el individuo el día en que éste descubre que su conciencia es el sol y el salvador de su mundo. Cuando conozca el significado de esta afirmación mística: "Yo soy la luz del mundo", se dará cuenta de que su Yo Soy, o conciencia, es el sol de su vida, y que este sol irradia imágenes sobre la pantalla del espacio. Estas imágenes son a semejanza de lo que él, como individuo, tiene conciencia de ser. Así, las cualidades y los atributos que parecen moverse en la pantalla de su mundo son realmente proyecciones de esta luz desde su interior.

Las innumerables esperanzas y anhelos no realizados son las semillas que están enterradas dentro de la conciencia o el vientre virginal de la persona. Allí permanecen como las semillas de la tierra sostenidas en los gélidos baldíos del invierno, esperando que el sol se mueva hacia el norte o que el individuo regrese al conocimiento de quién es él. Al regresar se mueve hacia el norte, a través del reconocimiento de su verdadero ser, al afirmar: "Yo Soy la luz del mundo".

Cuando el individuo descubra que su conciencia o Yo Soy es Dios, el salvador de su mundo, será como el sol en su paso por el norte. Todos los deseos ocultos y las aspiraciones serán entonces entibiados y estimulados a nacer por este conocimiento de su verdadero ser. Afirmará que es aquello que hasta ese momento esperaba ser. Sin la ayuda de ningún hombre, se definirá a sí mismo como aquello que desea expresar. Descubrirá que su Yo Soy es la virgen que concibe sin la ayuda del hombre, que todas las concepciones de sí mismo, cuando son sentidas y fijadas en la conciencia, se materializan fácilmente como realidades vivientes en su mundo.

Un día la persona se dará cuenta de que todo este drama tiene lugar en su conciencia, que su conciencia incondicionada, o Yo Soy, es la Virgen María deseando expresarse, que a través de esta ley de autoexpresión se define a sí misma como aquello que desea expresar y que sin la ayuda o cooperación de nadie expresará aquello que conscientemente ha reclamado y definido ser. Entonces comprenderá por qué la Navidad está fija el 25 de diciembre, mientras que la Pascua es una fecha movible; por qué sobre la concepción virginal descansa toda la cristiandad; que su conciencia es el vientre virgen o la novia del Señor que recibe impresiones como autoimpregnación y luego, sin ayuda, encarna estas impresiones como las expresiones de su vida.

CAPÍTULO 12

CRUCIFIXIÓN Y RESURRECCIÓN

"Yo soy la resurrección y la vida; el que cree en
mí, aunque esté muerto, vivirá" (Juan 11:25)

El misterio de la crucifixión y la resurrección está
tan entrelazado que, para entenderlo plenamente, es
necesario explicarlo juntos, pues uno determina al
otro.

Este misterio se simboliza en la tierra en los
rituales del Viernes Santo y la Pascua. Habrás
observado que el aniversario de este acontecimiento
cósmico, anunciado cada año por la iglesia, no es una
fecha fija como otros aniversarios que marcan los
nacimientos y las muertes, sino que este día cambia de

año en año, cayendo en cualquier fecha entre el 22 de marzo y el 25 de abril.

El día de la resurrección se determina de esta manera. El primer domingo después de la luna llena en Aries se celebra la Pascua. Aries comienza el 21 de marzo y termina aproximadamente el 19 de abril. La entrada del sol en Aries marca el comienzo de la primavera. La luna, en su tránsito mensual alrededor de la tierra, formará en algún momento entre el 21 de marzo y el 25 de abril una oposición al sol, dicha oposición se denomina luna llena. El primer domingo después de que se produzca este fenómeno de los cielos se celebra la Pascua; el viernes anterior a este día se observa como Viernes Santo.

Esta fecha movible debería indicarle al observador que busque alguna interpretación distinta a la comúnmente aceptada. Estos días no marcan los aniversarios de la muerte y resurrección de un individuo que vivió en la tierra.

Visto desde la tierra, el sol en su paso por el norte aparece en la estación primaveral del año para cruzar la línea imaginaria llamada comúnmente ecuador. Así, el místico dice que fue atravesado o crucificado para que el ser humano pudiera vivir. Es significativo que, poco después de este acontecimiento, toda la naturaleza comienza a levantarse o a resucitar de su largo sueño invernal. Por lo tanto, se puede concluir que esta alteración de la naturaleza, en esta estación del año, se debe directamente a este cruce. Así, se cree que el sol debe derramar su sangre en la Pascua.

Si estos días marcaran la muerte y la resurrección de un hombre, estarían fijos para que cayeran en la misma fecha cada año, como están fijos todos los demás acontecimientos históricos, pero obviamente no es el caso. Estas fechas no estaban destinadas a marcar el aniversario de la muerte y resurrección de Jesús, el hombre. Las escrituras son dramas psicológicos y revelarán su significado solo si son interpretadas psicológicamente. Estas fechas se ajustan para coincidir con el cambio cósmico que ocurre en esta época del año, marcando la muerte del año viejo y el comienzo o resurrección del año nuevo o primavera. Estas fechas simbolizan la muerte y resurrección del Señor; pero este Señor no es un hombre; es tu conciencia de ser.

Está registrado que él dio su vida para que tú pudieras vivir. "Yo he venido para que tengan vida y para que la tengan en abundancia". La conciencia se mata a sí misma separándose de lo que tiene conciencia de ser para poder vivir a lo que desea ser.

La primavera es la época del año en la que millones de semillas, que durante todo el invierno han estado enterradas en la tierra, brotan repentinamente. Debido a que el drama místico de la crucifixión y la resurrección está en la naturaleza de este cambio anual, se celebra en esta estación primaveral del año;

TU FE ES TU FORTUNA

pero, en realidad, está teniendo lugar en cada momento del tiempo. El ser que es crucificado es tu conciencia de ser. La cruz es tu concepción de ti mismo. La resurrección es el levantamiento a la visibilidad de esta concepción de ti mismo.

En lugar de ser un día de luto, el Viernes Santo debería ser un día de alegría, porque no puede haber resurrección o expresión si no hay primero una crucifixión o impresión. En tu caso, lo que debe resucitar es lo que deseas ser. Para hacer esto, debes sentir que eres aquello que deseas. Debes sentir: "Yo Soy la resurrección y la vida del deseo". Yo Soy (tu conciencia de ser) es el poder que resucita y hace vivir aquello que en tu conciencia deseas ser.

"Dos se pondrán de acuerdo sobre cualquier cosa y yo lo estableceré en la tierra". Los dos que se ponen de acuerdo son tú (tu conciencia - la conciencia que desea) y la cosa deseada. Cuando se logra este acuerdo, se completa la crucifixión; los dos se han cruzado o crucificado mutuamente.

Yo Soy y Aquello —la conciencia y aquello que eres consciente de ser— se han unido y son uno. Yo Soy ahora clavado o fijado en la creencia de que Yo Soy esta fusión. Jesús o Yo Soy está clavado en la cruz de aquello. El clavo que te une a la cruz es el clavo del sentimiento. La unión mística ahora es consumada y el resultado será el nacimiento de un niño o la resurrección de un hijo dando testimonio de su padre. La conciencia se une a aquello que es consciente de ser.

El mundo de la expresión es el hijo confirmando esta unión. El día que dejes de ser consciente de ser lo que ahora eres consciente de ser, ese día tu hijo o expresión morirá y regresará al seno de su padre, la conciencia sin rostro y sin forma.

Todas las expresiones son el resultado de tales uniones místicas. Por lo tanto, los sacerdotes tienen razón cuando dicen que los verdaderos matrimonios se contraen en el cielo y solo pueden disolverse en el cielo. Pero déjame aclarar esta afirmación diciéndote que el cielo no es una localidad; es un estado de conciencia. El Reino de los Cielos está dentro de ti. En el cielo (conciencia), Dios es tocado por aquello que es consciente de ser. "Alguien me ha tocado, porque sentí que salió virtud de mí". En el momento en que se produce este toque (sentimiento), se produce una descendencia o salida del yo hacia la visibilidad.

El día que el individuo siente: "Yo soy libre"; "Yo soy rico"; "Yo soy fuerte"; Dios (Yo Soy) es tocado o crucificado por estas cualidades o virtudes. Los resultados de tal toque o crucifixión se verán en el nacimiento o resurrección de las cualidades sentidas, ya que el individuo debe tener una confirmación visible de todo lo que tiene conciencia de ser.

Ahora sabrás por qué el ser humano o la manifestación está siempre hecha a imagen de Dios. Tu conciencia representa y exterioriza todo lo que eres consciente de ser.

"Yo Soy el Señor y fuera de mí no hay Dios". "Yo soy la resurrección y la vida". Te fijarás en la creencia de que eres lo que deseas ser. Antes de tener cualquier prueba visible de que lo eres, sabrás que lo eres, por la profunda convicción que has sentido fijada en tu interior; y así, sin esperar la confirmación de tus sentidos, exclamarás: "Todo está cumplido".

Entonces, con una fe nacida del conocimiento de esta ley inmutable, estarás como muerto y sepultado; estarás quieto e inconmovible en tu convicción y seguro de que resucitarás las cualidades que has fijado y que sientes en tu interior.

CAPÍTULO 13

LAS IMPRESIONES

"Y así como hemos traído la imagen del terrenal, traeremos también la imagen del celestial".
(1 Corintios 15:49)

Tu conciencia o tu Yo Soy es el potencial ilimitado sobre el que se hacen las impresiones. Las impresiones son estados definidos presionados sobre tu Yo Soy.
Tu conciencia o tu Yo Soy puede ser comparada con una sensible placa. En su estado virginal es potencialmente ilimitada. Puedes imprimir o grabar un mensaje de amor o un himno de odio, una maravillosa sinfonía o un discordante jazz. No importa cuál sea la naturaleza de la impresión, tu Yo

Soy, sin ninguna queja, gustosamente recibirá y sustentará todas las impresiones.

Tu conciencia es la que se menciona en el capítulo 53 de Isaías:

"Fue despreciado y desechado por los hombres, varón de dolores y experimentado en el sufrimiento. Y como escondimos de él el rostro, lo menospreciamos y no lo estimamos. Ciertamente él llevó nuestras enfermedades y sufrió nuestros dolores. Nosotros lo tuvimos por azotado, como herido por Dios y afligido. Pero él fue herido por nuestras transgresiones, molido por nuestros pecados. El castigo que nos trajo paz fue sobre él, y por sus heridas fuimos nosotros sanados. Todos nosotros nos descarriamos como ovejas; cada cual se apartó por su camino. Pero el Señor cargó en él el pecado de todos nosotros. Él fue oprimido y afligido, pero no abrió su boca. Como un cordero, fue llevado al matadero; y como una oveja que enmudece delante de sus esquiladores, tampoco él abrió su boca".
(Isaías 53:3-7)

Tu conciencia incondicionada es impersonal; no hace acepción de personas. Sin pensamiento ni esfuerzo expresa automáticamente cada impresión que se registra en ella. No se opone a ninguna impresión que se coloque sobre ella, ya que, aunque es capaz de recibir y expresar todos y cada uno de los estados definidos, sigue siendo siempre un potencial inmaculado e ilimitado.

Tu Yo Soy es la base sobre la cual descansa el estado definido o la concepción de ti mismo; pero no está definido por tales estados definidos ni depende de ellos para su existencia. Tu Yo Soy no se expande ni se contrae; nada lo altera ni le añade nada. Antes de que cualquier estado definido fuera, *es*. Cuando todos los estados dejan de existir, sigue siendo. Todos los estados definidos o concepciones de ti mismo no son más que expresiones efímeras de tu ser eterno.

Ser impresionado es estar I'm-presionado (en inglés I'm significa Yo soy), entonces, si tomamos esta expresión I'm (yo soy) presionado —primera persona, tiempo presente. Todas las expresiones son el resultado de I'm-presiones. Solo cuando reclames ser aquello que deseas ser expresarás tales deseos. Deja que todos los deseos se conviertan en impresiones de cualidades que son, no de cualidades que serán. Yo Soy (tu conciencia) es Dios y Dios es la plenitud de todo, el Eterno Ahora, Yo Soy.

No pienses en el mañana; las expresiones del mañana están determinadas por las impresiones de hoy. "Ahora es el tiempo aceptado" "El Reino de los Cielos está cerca". Jesús (la salvación) dijo: "Yo estoy contigo siempre". Tu conciencia es el salvador que está contigo siempre; pero, si lo niegas, él también te negará. Tú lo niegas al afirmar que él aparecerá, como millones de personas hoy en día afirman que la salvación vendrá; esto es el equivalente a decir: "No estamos salvados". Debes dejar de buscar que aparezca tu salvador y comienza a afirmar que ya estás salvado, entonces las señales de tus afirmaciones seguirán.

Cuando le preguntaron a la viuda qué tenía en su casa, hubo un reconocimiento de la sustancia; su declaración fue: "Unas cuantas gotas de aceite". Unas pocas gotas se convertirán en un pozo, si se pide adecuadamente. Tu reconocimiento magnifica toda la conciencia. Afirmar que tendré aceite (alegría) es confesar que tengo medidas vacías. Tales impresiones de carencia producen carencia. Dios, tu conciencia, no hace acepción de personas. Perfectamente impersonal, Dios, esta conciencia de toda la existencia, recibe impresiones, cualidades y atributos que definen la conciencia, es decir, tus impresiones.

Cada uno de tus deseos debe estar determinado por la necesidad. Las necesidades, ya sean aparentes o reales, serán automáticamente satisfechas cuando sean acogidas con suficiente intensidad de propósito como deseos definidos. Sabiendo que tu conciencia es Dios, deberías mirar cada deseo como la palabra hablada de Dios, diciéndote lo que es.

"Deja de considerar al hombre, cuyo soplo de vida está en su nariz, pues ¿en qué ha de ser él estimado? (Isaías 2:22)

Siempre somos aquello que se define por nuestra conciencia. Nunca afirmes: "Seré eso", deja que todas las afirmaciones a partir de ahora sean: "Yo Soy el que Soy". Antes de pedir, recibimos. La solución de cualquier problema asociado con el deseo es obvia. Cada problema produce automáticamente el deseo de solución.

El ser humano está educado en la creencia de que sus deseos son cosas contra las que debe luchar. En su ignorancia, niega a su salvador que está constantemente llamando a la puerta de la conciencia para que le dejen entrar (Yo Soy la puerta).

Si se realizara tu deseo, ¿no te salvaría de tu problema? Dejar entrar a tu salvador es lo más fácil del mundo. Las cosas deben ser, para dejarse entrar. Eres consciente de un deseo; el deseo es algo de lo que eres consciente ahora. Tu deseo, aunque invisible, debe ser afirmado por ti como algo que es real. "Dios llama a las cosas que no son (no se ven) como si fueran".

Afirmando que Yo Soy lo deseado, dejo entrar al salvador.

"He aquí, yo estoy a la puerta y llamo; si alguno oye mi voz y abre la puerta, entraré a él, y cenaré con él, y él conmigo" (Apocalipsis 3:20).

Cada deseo es la llamada a la puerta del Salvador. Esta llamada la escuchan todos La persona abre la puerta cuando afirma: "Yo soy".

Asegúrate de dejar entrar a tu salvador. Deja que la cosa deseada te presione hasta que te sientas impresionado por el conocimiento de tu salvador; entonces pronuncia el grito de victoria: "Todo está cumplido".

CAPÍTULO 14

CIRCUNCISIÓN

"También en el ustedes fueron circuncidados con una circuncisión no hecha por manos, al quitar el cuerpo de la carne mediante la circuncisión de Cristo" (Colosenses 2: 11)

La circuncisión es la operación que remueve el velo que oculta la cabeza de la creación. El acto físico no tiene nada que ver con el acto espiritual. Todo el mundo podría ser físicamente circuncidado y, sin embargo, seguir siendo impuro y ciego líder de los ciegos. Los circuncidados espiritualmente han removido el velo de la oscuridad y saben que ellos mismos son Cristo, la luz del mundo.

Déjame ahora realizar la operación espiritual en ti, lector. Este acto se realiza en el octavo día después del nacimiento, no porque este día tenga un significado especial o se diferencie en algo de los demás días, sino que se realiza en este octavo día porque ocho es el número que no tiene principio ni fin. Además, los antiguos simbolizaban el octavo número o letra como un cerco o velo, dentro y detrás del cual estaba enterrado el misterio de la creación.

Por lo tanto, el secreto de la operación en el octavo día está en consonancia con la naturaleza del acto, que es revelar la cabeza eterna de la creación, ese algo inmutable en el que todas las cosas tienen su principio y su fin, y que, sin embargo, permanece siendo su ser eterno cuando todas las cosas dejan de ser. Este misterioso algo es tu conciencia de ser. En este momento, eres consciente de ser, pero también eres consciente de ser alguien. Este alguien es el velo que oculta el ser que realmente eres. Primero, eres consciente de ser, luego, eres consciente de ser una persona.

Después de que el velo humano es colocado sobre tu ser sin rostro, te vuelves consciente de ser un miembro de cierta raza, nación, familia, credo, etc. El velo que se levanta en la circuncisión espiritual es el velo humano. Pero antes de que esto pueda hacerse, debes cortar las adhesiones de raza, nación, familia, etc. En Cristo no hay ni griego ni judío, esclavo ni libre, masculino ni femenino. "Debes dejar padre, madre, hermano y seguirme". Para lograr esto, debes dejar de identificarte con estas divisiones volviéndote indiferente a tales afirmaciones. La indiferencia es el cuchillo que corta. El sentimiento es el lazo que ata. Cuando puedas considerar a la humanidad como una gran hermandad, sin distinción de raza o credo, entonces sabrás que has cortado estas ataduras. Con estos lazos cortados, todo lo que ahora te separa de tu verdadero ser es tu creencia de que eres humano.

Para remover este último velo, abandonas tu concepción de ti mismo como una persona, sabiendo simplemente que *eres*. En lugar de la conciencia de "Yo soy una persona", deja que haya solo "Yo Soy", sin rostro, sin forma y sin figura. Estás espiritualmente circuncidado cuando la conciencia de ser humano es abandonada y tu conciencia incondicionada de ser se te revela como la cabeza eterna de la creación, una presencia omnisciente, sin forma, sin rostro. Entonces, sin el velo y despierto, declararás y sabrás que Yo Soy es Dios y, fuera de mí, esta conciencia, no hay Dios.

Este misterio es narrado simbólicamente en la historia bíblica de Jesús lavando los pies de sus discípulos. Se registra que Jesús se despojó de sus vestiduras, tomó una toalla y se la ciñó. Luego, después de lavar los pies de sus discípulos, los secó con la toalla que tenía ceñida. Pedro protestó por el lavado de sus pies y se le dijo que si no se le lavaban los pies no tendría parte con Jesús. Pedro, al oír esto, respondió: "Señor, no solo mis pies, sino también mis manos y mi cabeza". Jesús le dijo: "El que está lavado no necesita sino que lavarse los pies, pues está todo limpio".

El sentido común le diría al lector que no se puede decir que alguien está completamente limpio solo porque se le hayan lavado los pies. Por lo tanto, debería descartar esta historia como fantasiosa o buscar su significado oculto.

Cada historia de la Biblia es un drama psicológico que tiene lugar en la conciencia de la persona, y esta no es una excepción. Este lavado de los pies de los discípulos es la historia mística de la circuncisión espiritual o la revelación de los secretos del Señor.

Jesús es llamado el Señor. Se dice que el nombre del Señor es Yo Soy.

"Yo Soy el Señor, ese es mi nombre" (Isaías 42:8)

La historia señala que Jesús estaba desnudo, salvo por una toalla que cubría sus entrañas o secretos. Jesús, o el Señor, simboliza tu conciencia de ser cuyos secretos están ocultos por la toalla (conciencia del ser humano). El pie simboliza el entendimiento que debe ser lavado de todas las creencias o concepciones humanas de sí mismo por el Señor. Cuando se retira la toalla para secar los pies, los secretos del Señor son revelados.

En resumen, al remover la creencia de que eres humano se revela tu conciencia como la cabeza de la creación. El ser humano es el prepucio que oculta la cabeza de la creación. Yo Soy el Señor oculto por el velo humano.

CAPÍTULO 15

INTERVALO DE TIEMPO

"No se turbe su corazón; crean en Dios, crean también en Mí. En la casa de Mi Padre hay muchas moradas; si no fuera así, se lo hubiera dicho; porque voy a preparar un lugar para ustedes. Y si me voy y les preparo un lugar, vendré otra vez y los tomaré adonde Yo voy; para que donde Yo esté, allí estén ustedes también". (Juan 14:1-3)

El 'Mí' en quien debes creer es tu conciencia, el Yo Soy es Dios. Es también la casa del Padre que contiene dentro de sí todos los estados de conciencia concebibles. Cada estado de conciencia condicionado se llama mansión.

Esta conversación tiene lugar dentro de ti. Tu Yo Soy, la conciencia incondicionada, es Jesucristo

87

hablando al ser condicionado o la conciencia de Juan Pérez. "Yo Soy Juan" desde un punto de vista místico son dos seres: Cristo y Juan. Así que voy a preparar un lugar para ti, pasando de tu actual estado de conciencia a ese estado deseado. Es una promesa de tu Cristo, o conciencia de ser, a tu presente concepto de ti mismo de que dejarás tu conciencia presente y te apropiarás de otra.

El ser humano es tan esclavo del tiempo que, si después de haberse apropiado de un estado de conciencia que ahora no es visto por el mundo, el estado apropiado no se manifiesta inmediatamente, pierde la fe en su demanda invisible; la abandona enseguida y vuelve a su anterior estado estático de ser. Debido a esta limitación humana, he encontrado muy útil emplear un intervalo de tiempo específico para hacer este viaje a una mansión preparada.

"Ten un poco de paciencia" (Job 36:2)

Todos hemos catalogado los diferentes días de la semana, los meses del año y las estaciones. Con esto quiero decir que tú y yo hemos dicho una y otra vez: "Hoy parece domingo" o "lunes" o "sábado". También hemos dicho en pleno verano: "Parece y se siente como si fuera otoño". Esto es una prueba positiva de que tú y yo tenemos sentimientos definidos asociados a estos diferentes días, meses y estaciones del año. Debido a esta asociación, en cualquier momento podemos conscientemente vivir en ese día o temporada que hemos seleccionado. No definas egoístamente este intervalo en días y horas porque estás ansioso por recibir, sino que simplemente permanece en la convicción de que está hecho. El tiempo, siendo puramente relativo, debe ser eliminado por completo y tu deseo se cumplirá.

Esta capacidad de habitar en cualquier punto del tiempo nos permite emplear el tiempo en nuestro viaje a la mansión deseada. Ahora yo (conciencia) voy a un punto en el tiempo y allí preparo un lugar. Si voy a tal punto en el tiempo y preparo un lugar, regresaré a este punto en el tiempo de donde me he ido y te recogeré y te llevaré conmigo a ese lugar que he preparado, para que donde Yo estoy, allí estés tú también.

Déjame darte un ejemplo de este viaje. Supongamos que tienes un deseo intenso. Como la mayoría es esclava del tiempo, podrías sentir que no podrías realizar un deseo tan grande en un intervalo limitado. Pero admitiendo que todas las cosas son posibles para Dios, creyendo que Dios es el Yo dentro de ti o tu conciencia de ser, puedes decir: "Como Juan, yo no puedo hacer nada; pero como todas las cosas son posibles para Dios y sé que Dios es mi conciencia de ser, puedo realizar mi deseo dentro de poco. Cómo se realizará mi deseo, no lo sé (como Juan), pero por la propia ley de mi ser sé que se realizará".

Con esta creencia firmemente establecida, decide cuál sería un intervalo de tiempo relativamente racional en el que ese deseo podría realizarse. Una vez más, te recuerdo que no debes acortar el intervalo de tiempo porque estés ansioso por recibir tu deseo; haz que sea un intervalo natural. Nadie puede darte el intervalo de tiempo. Solo tú puedes decir cuál sería el intervalo natural para ti. El intervalo de tiempo es relativo, es decir, no hay dos individuos que den la misma medida de tiempo para la realización de su deseo.

El tiempo siempre está condicionado por la concepción que cada persona tiene de sí misma. La confianza en uno mismo, determinada por la conciencia condicionada, siempre acorta el intervalo de tiempo. Si estuvieras acostumbrado a grandes logros, te darías un tiempo mucho más corto para realizar tu deseo que aquel educado en la derrota.

Si hoy fuera miércoles y decidieras que sería muy posible que tu deseo encarnara una nueva concepción de ti mismo para el domingo, entonces el domingo se convierte en el punto de tiempo que visitarías. Para hacer esta visita, excluyes el miércoles y dejas entrar el domingo. Esto se logra simplemente sintiendo que es domingo. Comienza a escuchar las campanas de la iglesia; comienza a sentir la tranquilidad del día y todo lo que el domingo significa para ti; siente realmente que es domingo.

Cuando se logre esto, siente la alegría de haber recibido aquello que el miércoles era solo un deseo. Siente la completa emoción de haberlo recibido. Luego, regresa al miércoles, el punto en el tiempo que habías dejado atrás. Al hacer esto, has creado un vacío en la conciencia al pasar del miércoles al domingo. La naturaleza, que aborrece los vacíos, se apresura a llenarlo, formando así un molde a semejanza de lo que tú creas potencialmente, es decir, la alegría de haber realizado tu deseo definido.

Cuando vuelvas al miércoles, estarás lleno de una alegre expectación, porque has establecido la conciencia de lo que debe tener lugar el domingo siguiente. A medida que avanzas en el intervalo de jueves, viernes y sábado, nada te perturba, independientemente de las condiciones, porque predeterminaste aquello que serás en el Sabbath y eso permanece como una convicción inalterable.

Habiendo ido antes y preparado el lugar, tú has regresado a Juan y ahora lo llevas a través del intervalo de tres días al lugar preparado para que pueda compartir tu alegría contigo, porque donde Yo estoy, allí estarás tú también.

91

CAPÍTULO 16

EL DIOS TRIUNO

"Y Dios dijo: Hagamos al hombre a nuestra
imagen, conforme a nuestra semejanza"
(Genesis 1: 26)

Habiendo descubierto que Dios es nuestra
conciencia del ser y que esta realidad incondicional e
inmutable (el Yo Soy) es el único creador, veamos por
qué la Biblia registra una trinidad como creadora del
mundo.

En el versículo veintiséis del primer capítulo del
Génesis se dice: "Y Dios dijo: Hagamos al hombre a
nuestra imagen y semejanza". Las iglesias se refieren
a esta pluralidad de dioses como Dios el Padre, Dios
el Hijo y Dios el Espíritu Santo. Pero nunca han
intentado explicar lo que significa "Dios Padre, Dios

Hijo y Dios Espíritu Santo", ya que están en la oscuridad con respecto a este misterio.

El Padre, el Hijo y el Espíritu Santo son tres aspectos o condiciones de la conciencia incondicionada del ser llamada Dios. La conciencia de ser precede a la conciencia de ser algo. Esa conciencia incondicionada que precede a todos los estados de conciencia es Dios —Yo Soy. Los tres aspectos condicionados o divisiones de sí mismo se pueden explicar mejor de esta manera:

La actitud receptiva de la mente es ese aspecto que recibe impresiones y, por lo tanto, puede compararse con un útero o una madre.

Lo que hace la impresión es el aspecto masculino o presionante, por lo tanto, se conoce como Padre.

La impresión se convierte con el tiempo en una expresión, cuya expresión es siempre la semejanza y la imagen de la impresión; por eso se dice que este aspecto exteriorizado es el Hijo que da testimonio de su Padre-Madre.

La comprensión de este misterio de la trinidad permite, a quien lo entiende, transformar completamente su mundo y modelarlo a su gusto.

Aquí hay una aplicación práctica de este misterio. Siéntate en silencio y decide qué es lo que más te gustaría expresar o poseer. Después de decidirlo, cierra los ojos y aparta completamente tu atención de todo lo que pueda negar la realización de lo deseado;

luego asume una actitud mental receptiva y juega al juego de la suposición, imaginando cómo te sentirías si ahora realizaras tu deseo. Comienza a escuchar como si el espacio te hablara y te dijera que ahora eres lo que deseas ser. Esta actitud receptiva es el estado de conciencia que debes asumir antes de que pueda producirse una impresión.

Cuando se alcanza este estado mental flexible e impresionable, entonces comienza a imprimir en ti mismo el hecho de que eres lo que deseas ser, afirmando y sintiendo que ahora estás expresando y en posesión de lo que habías decidido ser y tener. Continúa en esta actitud hasta que la impresión esté hecha.

Mientras contemplas ser y poseer aquello que has decidido ser y tener, notarás que con cada inhalación de aliento una alegre emoción recorre todo tu ser. Esta emoción aumenta en intensidad a medida que sientes más y más la alegría de ser aquello que afirmas ser. Luego, en una última y profunda inhalación, todo tu ser estallará con la alegría del logro y sabrás por tu sentimiento que estás impregnado de Dios, el Padre. Tan pronto como la impresión esté hecha, abre los ojos y vuelve al mundo que unos momentos antes habías dejado fuera.

En esta actitud receptiva tuya, mientras contemplabas ser lo que deseabas ser, estabas realizando realmente el acto espiritual de la engendración, de modo que ahora, al regresar de esta meditación silenciosa, eres un ser en gestación que lleva un hijo o impresión, cuyo hijo fue concebido inmaculadamente sin la ayuda del hombre.

La duda es la única fuerza capaz de perturbar la semilla o impresión; para evitar el aborto involuntario de un hijo tan maravilloso, camina en secreto durante el intervalo de tiempo necesario que tardará la impresión en convertirse en expresión. No le cuentes a nadie tu romance espiritual. Encierra tu secreto dentro de ti con alegría, confiado y feliz de que algún día darás a luz al hijo de tu amante expresando y poseyendo la naturaleza de tu impresión. Entonces conocerás el misterio de "Dios dijo: Hagamos al hombre a nuestra imagen".

Sabrás que la pluralidad de Dioses a la que se hace referencia son los tres aspectos de tu propia conciencia y que tú eres la trinidad, reunida en un cónclave espiritual para modelar un mundo a imagen y semejanza de lo que tienes conciencia de ser.

CAPÍTULO 17

LA ORACIÓN

"Cuando ores, entra en tu aposento, y cerrada la puerta, ora a tu Padre que está en secreto; y tu Padre que ve en lo secreto te recompensará abiertamente"
(Mateo 6: 6)

"Todo lo que ustedes pidan en oración, crean que ya lo han conseguido, y lo recibirán"
(Marcos 11:24)

La oración es la experiencia más maravillosa que se puede tener. A diferencia de los murmullos diarios de la inmensa mayoría de la humanidad, en todas las tierras, que con sus vanas repeticiones esperan ganar el oído de Dios, la oración es el éxtasis de una boda espiritual que tiene lugar en la profunda y silenciosa quietud de la conciencia. En su verdadero sentido, la oración es la ceremonia matrimonial de Dios. Al igual que una doncella en el día de su boda renuncia al nombre de su familia para asumir el nombre de su marido, de la misma manera, el que ora debe renunciar a su nombre o naturaleza actual y asumir la naturaleza de aquello por lo que ora.

Los evangelios han instruido claramente en cuanto a la realización de esta ceremonia de la siguiente manera: "Cuando ores, entra en secreto y cierra la puerta, y tu Padre que ve en secreto, te recompensará abiertamente".

La entrada en el interior es la entrada en la cámara nupcial. La noche de la ceremonia matrimonial, nadie más que los novios pueden entrar en una habitación tan sagrada como la suite nupcial, de la misma manera, nadie más que el que ora y aquello por lo que ora puede entrar en la hora sagrada de la oración. Al igual que los novios, al entrar en la suite nupcial, cierran con firmeza la puerta contra el mundo exterior, también el que entra en la hora santa de la oración debe cerrar la puerta de los sentidos y apartar por completo el mundo que le rodea. Esto se consigue apartando completamente la atención de todas las cosas que no sean aquello de lo que se está enamorado (la cosa deseada).

La segunda fase de esta ceremonia espiritual se define con estas palabras: "Cuando oren, crean que ya lo han conseguido, y lo recibirán". Al contemplar alegremente ser y poseer aquello que deseas ser y tener, has dado este segundo paso y, por tanto, estás realizando espiritualmente los actos del matrimonio y la engendración.

Tu actitud mental receptiva mientras oras, o contemplas, puede compararse con una novia o un vientre, pues es ese aspecto de la mente el que recibe las impresiones. Aquello que contemplas ser es el novio, porque es el nombre o naturaleza que asumes y por lo tanto es lo que deja su impregnación. Así, uno muere a la doncella o naturaleza actual al asumir el nombre y la naturaleza de la impregnación.

Perdido en la contemplación y habiendo asumido el nombre y la naturaleza de lo contemplado, todo tu ser se emociona con la alegría de serlo. Esta emoción que recorre todo tu ser, a medida que te apropias de la conciencia de tu deseo, es la prueba de que estás casado y fecundado. Cuando regresas de esta meditación silenciosa, la puerta se abre de nuevo al mundo que habías dejado atrás. Pero esta vez vuelves como una novia embarazada. Entras al mundo como un ser cambiado y, aunque nadie más que tú sabe de este maravilloso romance, el mundo verá muy pronto los signos de tu embarazo, ya que comenzarás a expresar lo que en tu hora de silencio sentiste que eras.

La madre del mundo o la novia del Señor deliberadamente se llama María, o agua, porque el agua pierde su identidad al asumir la naturaleza de aquello con lo que se mezcla; de igual modo, María, la actitud receptiva de la mente, debe perder su identidad al asumir la naturaleza de la cosa deseada. Solo en la medida en que uno está dispuesto a renunciar a sus limitaciones e identidad actuales, puede convertirse en lo que desea ser. La oración es la fórmula por la cual se logran tales divorcios y matrimonios.

"Dos se pondrán de acuerdo sobre cualquier cosa y se establecerá en la tierra". Los dos que se ponen de acuerdo son tú, la novia, y la cosa deseada, el novio. Cuando se logre este acuerdo, nacerá un hijo que será testigo de esta unión. Comenzarás a expresar y poseer aquello que eres consciente de ser. Por tanto, orar es reconocerse a sí mismo como lo que se desea ser, en lugar de rogar a Dios por lo que se desea.

Millones de oraciones quedan diariamente sin respuesta porque se reza a un Dios que no existe. Puesto que la conciencia es Dios, uno debe buscar en la conciencia la cosa deseada asumiendo la conciencia de la cualidad deseada. Solo cuando uno hace esto, sus oraciones serán respondidas. Ser consciente de ser pobre mientras se ora por riquezas es ser recompensado con aquello que se es consciente de ser, es decir, la pobreza. Para que las oraciones sean exitosas, deben ser reclamadas y apropiadas. Asume la conciencia positiva de lo que deseas.

Una vez definido tu deseo, entra tranquilamente en tu interior y cierra la puerta detrás de ti. Piérdete en tu deseo; siente que eres uno con él; permanece en esta fijación hasta que hayas absorbido la vida y el nombre reclamando y sintiendo que eres y tienes lo que deseas. Cuando salgas de la hora de oración, debes hacerlo consciente de ser y poseer lo que hasta ahora has deseado.

CAPÍTULO 18

LOS DOCE DISCÍPULOS

"Entonces llamando a sus doce discípulos, les dio
autoridad sobre los espíritus inmundos, para que
los echasen fuera, y para sanar toda enfermedad y
toda dolencia" (Mateo 10:1)

Los doce discípulos representan las doce
cualidades de la mente que pueden ser controladas y
disciplinadas por el individuo. Si son disciplinadas,
obedecerán en todo momento el mandato de quien las
ha disciplinado.

Estas doce cualidades son potenciales de cada
mente. Indisciplinadas, sus acciones se parecen más a
las de una muchedumbre que a un ejército entrenado y
disciplinado. Todas las tormentas y confusiones que
afectan a las personas pueden atribuirse directamente

NEVILLE GODDARD

a estas doce características mal orientadas de la mente humana en su actual estado de adormecimiento. Hasta que sean despertadas y disciplinadas, permitirán que todo rumor y emoción sensorial las mueva.

En el momento en que estas doce sean disciplinadas y puestas bajo control, el que logra este control, les dirá: "En adelante, ya no los llamaré siervos, sino amigos". Él sabe que, a partir de ese momento, cada atributo mental disciplinado será su amigo y lo protegerá.

Los nombres de las doce cualidades revelan su naturaleza. Estos nombres no se les dan hasta que son llamados al discipulado. Estos son: Simón (que más tarde fue llamado Pedro), Andrés, Santiago, Juan, Felipe, Bartolomé, Tomás, Mateo, Santiago el hijo de Alfeo, Tadeo, Simón el cananeo y Judas.

La primera cualidad que debe ser llamada y disciplinada es Simón, o el atributo de la audición. Esta facultad, cuando se eleva al nivel de un discípulo, solo permite que lleguen a la conciencia aquellas impresiones que su oído le ha ordenado dejar entrar. No importa lo que la sabiduría humana pueda sugerir o lo que la evidencia de sus sentidos transmita, si tales sugestiones e ideas no están en consonancia con lo que escucha, permanece impasible. Este ha sido instruido por su Señor y se le ha hecho comprender que toda sugerencia que permita pasar por su puerta, al llegar a su Señor y Maestro (su conciencia), dejará allí su impresión, la cual debe convertirse con el tiempo en una expresión.

La instrucción para Simón es que debe permitir que solo visitantes o impresiones dignas y honorables entren en la casa (conciencia) de su Señor. Ningún error puede ser encubierto u ocultado a su Maestro, ya que cada expresión de vida le dice a su Señor a quien consciente o inconscientemente recibió.

Cuando Simón, mediante sus obras, demuestra ser un discípulo verdadero y fiel, recibe el nombre de Pedro, o la roca, el discípulo inamovible, el que no puede ser sobornado ni coaccionado por ningún visitante. Es llamado por su Señor Simón Pedro, el que escucha fielmente los mandatos de su Señor y además conoce qué mandatos no debe escuchar.

Simón Pedro es quien descubre que el Yo Soy es Cristo, como consecuencia de su descubrimiento, se le entregan las llaves del cielo y se le hace la piedra fundamental sobre la que descansa el Templo de Dios. Los edificios deben tener bases firmes y solo la audición disciplinada, al saber que el Yo Soy es Cristo, puede permanecer firme e inmutable en el conocimiento de que Yo Soy Cristo y que fuera de mí no hay salvador.

La segunda cualidad que debe ser llamada al discipulado es Andrés, o el coraje. A medida que se desarrolla la primera cualidad, la fe en uno mismo, automáticamente surge su hermano, el coraje. La fe en uno mismo, la cual no pide ayuda a nadie, sino que se apropia tranquila y solitariamente de la conciencia de la cualidad deseada y, a pesar de que la razón o la evidencia de sus sentidos muestren lo contrario, continúa esperando fielmente, con la certeza de que su demanda invisible, si es sostenida, debe ser realizada. Esta fe desarrolla un valor y una fuerza de carácter que van más allá de los sueños más increíbles del ser disciplinado, cuya fe está en las cosas que se ven.

La fe del ser indisciplinado no puede llamarse fe. Porque si se le quitan los ejércitos, las medicinas o la sabiduría humana en la que está depositada su fe, su fe y su valor se van con ellos. Pero al ser disciplinado se le podría quitar el mundo entero y, sin embargo, permanecería fiel sabiendo que el estado de conciencia en el que habita debe encarnarse a su debido tiempo. Este coraje es el hermano de Pedro, Andrés, el discípulo, que sabe lo que es atreverse, hacer y guardar silencio.

Los dos siguientes (tercero y cuarto) que son llamados, también están relacionados. Estos son los hermanos, Santiago y Juan. Santiago el justo, el juez justo, y su hermano Juan, el amado. La justicia para ser sabia debe ser administrada con amor, poniendo siempre la otra mejilla y devolviendo en todo momento bien por mal, amor por odio, no violencia por violencia.

El discípulo Santiago, símbolo de un juicio disciplinado, cuando es elevado al alto cargo de juez supremo, debe tener los ojos vendados para no dejarse influenciar por la carne ni juzgar según las apariencias del ser. El juicio disciplinado es administrado por alguien que no está influenciado por las apariencias.

El que ha llamado a estos hermanos al discipulado, continúa fiel a su mandato de escuchar solo lo que se le ha ordenado escuchar, es decir, el Bien. La persona que tiene esta cualidad de su mente disciplinada es incapaz de escuchar y aceptar como verdadero cualquier cosa, ya sea de sí mismo o de otro, que no llene su corazón de amor al escucharla.

Estos dos discípulos o aspectos de la mente son uno e inseparables cuando están despiertos. Tal persona disciplinada perdona a todos por ser lo que son. Como juez sabio, sabe que cada persona expresa perfectamente lo que es consciente de ser. Sabe que sobre la base inmutable de la conciencia descansa toda manifestación, que los cambios de expresión solo pueden producirse a través de cambios de conciencia.

Sin condenas ni críticas, estas cualidades disciplinadas de la mente permiten a cada uno ser lo que es. Sin embargo, aunque permiten esta perfecta libertad de elección a todos, están siempre vigilantes para ver que ellos mismos profesan y hacen, tanto para los demás como para sí mismos, solo aquellas cosas que, cuando se expresan, glorifican, dignifican y dan alegría a quien las expresa.

La quinta cualidad llamada al discipulado es Felipe. Este pidió que se le mostrara el Padre. El ser despierto sabe que el Padre es el estado de conciencia en el que habita la persona, y que este estado o Padre solo puede ser visto a medida que se expresa. Él se conoce a sí mismo como la perfecta semejanza o imagen de esa conciencia con la que se identifica. Por eso declara: "Nadie ha visto jamás a mi Padre, pero yo, el hijo que está en su seno, lo he revelado. Por eso, cuando me ves a mí, el hijo, ves a mi Padre, porque yo vengo a dar testimonio de mi Padre". Yo y mi Padre, la conciencia y su expresión, Dios y la persona, son uno.

Este aspecto de la mente, cuando es disciplinado, persiste hasta que las ideas, las ambiciones y los deseos se convierten en realidades manifestadas. Esta es la cualidad que dice "Aun en mi carne veré a Dios". Sabe cómo hacer que la palabra se haga carne, cómo dar forma a lo que no tiene forma.

El sexto discípulo se llama Bartolomé. Esta cualidad es la facultad imaginativa, cuando se despierta esta cualidad de la mente, lo distingue de las masas. Una imaginación despierta coloca a aquel que está despierto por encima de la persona promedio, dándole la apariencia de un faro de luz en un mundo de oscuridad.

Ninguna cualidad diferencia tanto una persona de otra como la imaginación disciplinada. Esta es la separación del trigo de la paja. Los que más han aportado a la sociedad son nuestros artistas, científicos, inventores y otras personas con una imaginación viva. Si se realizara una encuesta para determinar la razón por la que tantos hombres y mujeres aparentemente educados fracasan en sus años posteriores a la universidad o para determinar la razón de los diferentes niveles de ingresos de las masas, no habría duda de que la imaginación juega un papel importante. Un estudio de este tipo mostraría que es la imaginación la que hace que uno sea un líder, mientras que la falta de ella lo convierte en un seguidor.

Nuestro sistema educativo, en lugar de desarrollar la imaginación, a menudo la reprime intentando poner en la mente la sabiduría que busca. Le obliga a memorizar una serie de libros de texto que, demasiado pronto, son refutados por libros de texto posteriores. La educación no se logra poniendo algo en el individuo, su propósito es sacar de él la sabiduría que está latente en su interior.

Que el lector llame a Bartolomé al discipulado, pues solo en la medida en que esta cualidad se eleve al discipulado tendrá la capacidad de concebir ideas que lo eleven más allá de las limitaciones humanas.

El séptimo se llama Tomás. Esta cualidad disciplinada duda o niega todo rumor y sugerencia que no esté en armonía con lo que se le ha ordenado a Simón Pedro que deje entrar. Quien es consciente de ser sano (no a causa de la salud heredada, las dietas o el clima, sino porque está despierto y conoce el estado de conciencia en el que vive) continuará expresando salud, a pesar de las condiciones del mundo. Podría escuchar, a través de la prensa, la radio y los sabios del mundo, que una plaga estaba arrasando la tierra y, sin embargo, permanecería imperturbable e inalterable. Cuando Tomás, el escéptico, es disciplinado, negará que la enfermedad o cualquier otra cosa que no esté en armonía con la conciencia a la que pertenece, tenga algún poder para afectarle.

Cuando esta cualidad de negación es disciplinada, protege a la persona de recibir impresiones que no están en armonía con su naturaleza. Adopta una actitud de total indiferencia ante todas las sugerencias que son ajenas a lo que desea expresar. La negación disciplinada no es una lucha o un combate, sino una indiferencia total.

Mateo, el octavo, es el don de Dios. Esta cualidad de la mente revela los deseos que tiene la persona como dones de Dios. El que ha llamado a este discípulo sabe que cada deseo de su corazón es un regalo del cielo y que contiene tanto el poder como el plan de su autoexpresión. Esta persona nunca

TU FE ES TU FORTUNA

cuestiona la manera en que se expresará. Sabe que el plan de expresión nunca se revela al individuo, porque los caminos de Dios son inescrutables. Él acepta plenamente sus deseos como dones ya recibidos y sigue su camino en paz, confiando en que aparecerán.

El noveno discípulo se llama Santiago, el hijo de Alfeo. Esta es la cualidad de discernimiento. Una mente clara y ordenada es la voz que llama a este discípulo. Esta facultad percibe lo que no se revela al ojo humano. Este discípulo no juzga por las apariencias, ya que tiene la capacidad de funcionar en el reino de las causas y, por lo tanto, nunca se deja engañar por las apariencias.

La clarividencia es la facultad que se despierta cuando se desarrolla y disciplina esta cualidad, no la clarividencia de las sesiones espiritistas, sino la verdadera clarividencia o la clara visión del místico. Es decir, este aspecto de la mente tiene la capacidad de interpretar lo que se ve. El discernimiento o la capacidad de interpretar es la cualidad de Santiago, hijo de Alfeo.

Tadeo, el décimo, es el discípulo de la alabanza, una cualidad que lamentablemente no posee el ser indisciplinado. Cuando esta cualidad de alabanza y acción de gracias se despierta en la persona, ésta camina siempre con las palabras "Gracias, Padre" en los labios. Sabe que su agradecimiento por las cosas que no se ven abre las ventanas del cielo y permite que se derramen sobre ella dones que van más allá de su capacidad de recibir.

El que no agradece las cosas recibidas probablemente no recibirá muchos regalos de la misma fuente. Hasta que esta cualidad de la mente sea disciplinada, el individuo no verá florecer el desierto como la rosa. La alabanza y el agradecimiento son para los dones invisibles de Dios (los deseos de uno) lo que la lluvia y el sol son para las semillas invisibles en el seno de la tierra.

La undécima cualidad llamada es Simón el Cananeo. Una frase clave para este discípulo es: "Escuchar buenas noticias". Al ser llamado al discipulado Simón de Canaán, o Simón de la tierra de la leche y la miel, es una prueba de que se ha tomado conciencia de la vida abundante. Tal persona puede decir con el salmista David: "Preparas mesa delante de mí en presencia de mis enemigos; has ungido mi cabeza con aceite, mi copa está rebosando". Este aspecto disciplinado de la mente es incapaz de escuchar otra cosa que no sea una buena noticia, por lo que está bien calificado para predicar el Evangelio o la buena nueva.

La duodécima y última de las cualidades disciplinadas de la mente se llama Judas. Cuando esta cualidad está despierta, el individuo sabe que debe morir a lo que es para poder convertirse en lo que desea ser. Por eso, se dice de este discípulo que se suicidó, siendo ésta la forma que tiene el místico de decir a los iniciados que Judas es el aspecto disciplinado del desapego. Este sabe que su Yo Soy o conciencia es su salvador, por lo que deja ir a todos los demás salvadores. Cuando se disciplina esta cualidad le da a uno la fuerza para dejar ir.

El que ha llamado a Judas ha aprendido a apartar su atención de los problemas o limitaciones y a ponerla en aquello que es la solución o el salvador. "A menos que nazcas de nuevo, no puedes ver el Reino de los Cielos". "No hay un amor más grande que el dar la vida por los amigos". Cuando la persona se da cuenta de que si se realizara la cualidad deseada, le salvaría y le ayudaría, renuncia voluntariamente a su vida (a la concepción actual de sí mismo) por su amigo, desprendiendo su conciencia de lo que es consciente de ser y asumiendo la conciencia de lo que desea ser.

Cuando el individuo despierte de su estado indisciplinado, Judas, a quien el mundo ha ensombrecido, será colocado en lo alto, porque Dios es amor y no hay un amor más grande que el dar la vida por los amigos. Mientras el individuo no deje ir lo que ahora es consciente de ser, no se convertirá en lo que desea ser; y Judas es quien lo consigue mediante el suicidio o separación.

Estas son las doce cualidades que fueron dadas la humanidad en la fundación del mundo. El deber de cada persona es elevarlas al nivel de discipulado. Cuando esto se logre, la persona dirá:

"Yo te glorifiqué en la tierra, habiendo terminado la obra que me diste que hiciera. Y ahora, glorifícame Tú, Padre, junto a Ti, con la gloria que tenía contigo antes que el mundo existiera" (Juan 17:4-5)

LUZ LÍQUIDA

"En él vivimos, nos movemos y existimos"
(Hechos 17:28)

Psíquicamente, este mundo aparece como un océano de luz que contiene en sí mismo todas las cosas, incluido el ser humano, como cuerpos pulsantes envueltos en luz líquida. La historia bíblica del diluvio es el estado en el cual vive el ser humano. En realidad, se encuentra inundado en un océano de luz líquida en el que se mueven innumerables seres de luz.

La historia del diluvio realmente está siendo representada hoy. El individuo es el arca que contiene dentro de sí mismo los principios masculino-femeninos de todo ser viviente. La paloma o idea que

113

es enviada a buscar tierra firme es el esfuerzo que hace la persona por encarnar sus ideas. Las ideas se asemejan a los pájaros que vuelan, como la paloma de la historia, que regresan sin encontrar un lugar donde descansar. Si no permite que esas búsquedas infructuosas le desanimen, un día el pájaro volverá con una ramita verde. Después de asumir la conciencia de la cosa deseada, se convencerá de que es así; y sentirá y sabrá que es aquello de lo que se ha apropiado conscientemente, aunque aún no lo confirmen sus sentidos.

Un día la persona se identificará tanto con su concepción que sabrá que es ella misma y declarará: "Yo Soy; Yo Soy aquello que deseo ser (Yo Soy lo que soy)". Descubrirá que, al hacerlo, comenzará a encarnar su deseo (la paloma o el deseo encontrarán esta vez tierra firme), realizando así el misterio de la palabra hecha carne.

Todo en el mundo es una cristalización de esta luz líquida. "Yo soy la luz del mundo". Tu conciencia de ser es la luz líquida del mundo, que se cristaliza en las concepciones que tienes de ti mismo.

Tu conciencia de ser incondicionada se concibió primero en la luz líquida (que es la velocidad inicial del universo). Todas las cosas, desde las más altas hasta las más bajas vibraciones o expresiones de la vida, no son más que las diferentes vibraciones de velocidades de esta velocidad inicial; el oro, la plata, el hierro, la madera, la carne, etc., son solo diferentes expresiones o velocidades de esta única sustancia-luz líquida.

Todas las cosas son luz líquida cristalizada, la diferenciación o la infinidad de expresiones es causada por el deseo del concebidor de conocerse a sí mismo. Tu concepción de ti mismo determina automáticamente la velocidad necesaria para expresar lo que has concebido que eres.

El mundo es un océano de luz líquida en innumerables estados diferentes de cristalización.

CAPÍTULO 20

EL ALIENTO DE VIDA

"Después de estas cosas aconteció que cayó
enfermo el hijo del ama de la casa; y la enfermedad
fue tan grave que no quedó en él aliento"
(1 Reyes 17:17)

"Y él subió y se tendió sobre el niño, poniendo su
boca sobre la boca de él, y sus ojos sobre sus ojos,
y sus manos sobre las manos suyas; así se tendió
sobre él, y el cuerpo del niño entró en calor"
(2 Reyes 4:34)

¿Realmente el profeta Elías devolvió la vida al hijo
muerto de la viuda? Esta historia, junto con todas las
demás historias de la Biblia, es un drama psicológico
que tiene lugar en la conciencia humana.

La viuda simboliza a todos los hombres y mujeres del mundo; el niño muerto representa los deseos y ambiciones frustrados del individuo; mientras que el profeta, Elías, simboliza el poder de Dios dentro del ser humano, o la conciencia de ser de la persona. La historia nos dice que el profeta tomó al niño muerto del regazo de la viuda y lo llevó a un aposento superior. Cuando entró en el aposento superior, cerró la puerta detrás de ellos, colocando al niño sobre una cama, él sopló el aliento de vida en él. Volviendo a la madre, le dio el niño y le dijo: "Mira, tu hijo vive".

Los deseos de una persona pueden simbolizarse como un niño muerto. El simple hecho de que desee es una prueba positiva de que la cosa deseada no es todavía una realidad viva en su mundo. Intenta, de todas las maneras posibles, hacer realidad este deseo, hacerlo vivir, pero al final descubre que todos los intentos son infructuosos.

La mayoría de las personas no son conscientes de la existencia del poder infinito dentro de ellas mismas como el profeta. Permanecen indefinidamente con un niño muerto en sus brazos, sin darse cuenta de que el deseo es la indicación positiva de capacidades ilimitadas para su realización.

Cuando la persona reconozca que su conciencia es un profeta que infunde vida a todo lo que tiene conciencia de ser, cerrará la puerta de sus sentidos contra su problema y fijará su atención únicamente en lo que desea, sabiendo que al hacerlo, sus deseos se realizarán con seguridad. Descubrirá que el reconocimiento es el aliento de vida, porque percibirá que, al afirmar conscientemente que ahora expresa o posee todo lo que desea ser o tener, estará respirando el aliento de vida en su deseo. La cualidad reclamada por el deseo (de una manera desconocida) comenzará a moverse y a convertirse en una realidad viva en su mundo.

Sí, el Profeta Elías vive para siempre como la conciencia de ser ilimitada; la viuda como su conciencia de ser limitada y el niño como lo que desea ser.

CAPÍTULO 21

DANIEL EN EL FOSO DE LOS LEONES

"Tu Dios, a quien sirves con perseverancia, él te librará" (Daniel 6: 16)

La historia de Daniel es la historia de ser humano. Se registra que Daniel, mientras estaba encerrado en el foso de los leones, dio la espalda a las bestias hambrientas y con su vista dirigida hacia la luz que venía de lo alto, oró al único Dios. Los leones, que intencionalmente fueron privados de comida para este festín, permanecieron inofensivos, no tuvieron poder para herir al profeta. La fe de Daniel en Dios era tan grande que, finalmente, consiguió su libertad y su nombramiento para un alto cargo en el gobierno de su país.

Esta historia fue escrita para instruirte en el arte de liberarte de cualquier problema o prisión en el mundo. La mayoría de nosotros, al encontrarnos en el foso de los leones, nos preocuparíamos solo de los leones, no pensaríamos en ningún otro problema en todo el mundo que no fuera el de los leones. Sin embargo, se nos dice que Daniel les dio la espalda y miró hacia la luz que era Dios. Si pudiéramos seguir el ejemplo de Daniel cuando estuviésemos amenazados por cualquier desastre terrible, como leones, pobreza o enfermedad, si, al igual que Daniel, pudiésemos desviar nuestra atención hacia la luz que es Dios, nuestras soluciones serían igualmente sencillas.

Por ejemplo, si fueras encarcelado, nadie tendría que decirte que deberías desear la libertad. La libertad, o más bien el deseo de ser libre, sería automático. Lo mismo ocurriría si te encontraras enfermo o endeudado o en cualquier otra dificultad. Los leones representan situaciones amenazantes, que aparentemente son irremediables. Cada problema produce automáticamente su solución en forma de un deseo de liberarse del problema. Por lo tanto, dale la espalda a tu problema y centra tu atención en la solución deseada, sintiéndote ser aquello que deseas. Continúa con esta creencia y verás que el muro de tu prisión desaparecerá a medida que comienzas a expresar aquello que te has hecho consciente de ser.

He visto a personas, aparentemente endeudadas sin remedio, aplicar este principio y en muy poco tiempo se eliminaron deudas montañosas. También he visto aplicar este principio a quienes los médicos habían diagnosticado como incurable y, en un tiempo increíblemente corto, su supuesta enfermedad incurable desapareció y no dejó ninguna secuela. Considera tus deseos como las palabras habladas de Dios y cada palabra como profecía de lo que eres capaz de ser. No preguntes si eres digno o indigno de realizar estos deseos, acéptalos cuando vengan a ti. Agradece por ellos como si fueran regalos. Siéntete feliz y agradecido por haber recibido tan maravillosos regalos. Luego sigue tu camino en paz.

Esta simple aceptación de tus deseos es como dejar caer una semilla fértil en una tierra siempre preparada. Cuando dejas caer tu deseo como una semilla en la conciencia, confiando en que aparecerá en todo su potencial, has hecho todo lo que se espera de ti. Preocuparse o inquietarse por la forma en que se desarrollará, es retener estas fértiles semillas en un agarre mental y, por lo tanto, impedir que maduren realmente hasta su plena cosecha. No estés ansioso o preocupado por los resultados. Los resultados llegarán con la misma seguridad que el día sigue a la noche. Deposita tu fe en esta siembra hasta que se manifieste la evidencia de que es así. Tu confianza en este procedimiento te dará grandes recompensas. Solo esperas un poco en la conciencia de la cosa deseada; de pronto, y cuando menos lo esperas, lo sentido se convierte en tu expresión.

La vida no hace acepción de personas y no destruye nada; sigue manteniendo vivo lo que el individuo es consciente de ser. Las cosas desaparecerán solo cuando él cambie su conciencia. Niégalo si quieres, aún sigue siendo un hecho que la conciencia es la única realidad y las cosas no son más que el reflejo de lo que eres consciente de ser. El estado celestial que buscas se encontrará solo en la conciencia porque el Reino de los Cielos está dentro de ti.

Tu conciencia es la única realidad viva, la cabeza eterna de la creación. Lo que eres consciente de ser es el cuerpo temporal que llevas. Apartar tu atención de aquello que eres consciente de ser es decapitar ese cuerpo; pero, al igual que una gallina o una serpiente sigue saltando y estremeciéndose durante un tiempo después de que se le ha quitado la cabeza, de la misma manera, las cualidades y las condiciones parecen vivir durante un tiempo después de que tu atención ha sido apartada de ellas.

Al no conocer esta ley de la conciencia, las personas piensan constantemente en sus condiciones habituales anteriores y, al estar atentas a ellas, colocan sobre estos cuerpos muertos la cabeza eterna de la creación; así los reaniman y los resucitan. Debe dejar en paz estos cuerpos muertos y dejar que los muertos entierren a los muertos.

El individuo, después de haber puesto la mano en el arado (es decir, después de haber asumido la conciencia de la cualidad deseada), si mira hacia atrás dejará de ser apto para el Reino de los Cielos. Como la voluntad del cielo siempre se hace en la tierra, hoy estás en el cielo que has establecido dentro de ti, porque aquí, en esta misma tierra, se revela tu cielo. El Reino de los Cielos está realmente cerca. Ahora es el tiempo aceptado. Así que crea un cielo nuevo, entra en un nuevo estado de conciencia y aparecerá una nueva tierra.

CAPÍTULO 22

PESCAR

"Salieron de allí y se embarcaron, pero esa noche no pescaron nada" (Juan 21: 3).

"Él les dijo: Echen la red al lado derecho de la barca, y hallarán pesca. Entonces la echaron, y no podían sacarla por la gran cantidad de peces"
(Juan 21: 6)

Se registra que los discípulos salieron de pesca toda la noche, pero no pescaron nada. Entonces Jesús apareció en escena y les dijo que volvieran a echar las redes, pero que esta vez lo hicieran por el lado derecho. Pedro obedeció la voz de Jesús y echó de nuevo las redes a las aguas. Donde un momento antes el agua estaba completamente vacía de peces, las redes casi se rompieron con el número de la captura resultante.

Las personas, pescando durante toda la noche de la ignorancia humana, intentan realizar sus deseos mediante el esfuerzo y la lucha, solo para descubrir al final que su búsqueda es infructuosa. Cuando el individuo descubra que su conciencia de ser es Jesucristo, obedecerá su voz y dejará que dirija su pesca. Lanzará su anzuelo en el lado derecho; aplicará la ley de la manera correcta y buscará en la conciencia la cosa deseada. Al encontrarlo, sabrá que se multiplicará en el mundo de la forma.

Los que han tenido el placer de pescar saben lo emocionante que es sentir al pez en el anzuelo. La mordida del pez es seguida por el juego del pez; este juego, a su vez, es seguido por el desembarque del pez. Algo similar ocurre en la conciencia humana mientras pesca las manifestaciones de la vida.

Los pescadores saben que, si desean atrapar peces grandes, deben pescar en aguas profundas; si quieres atrapar una gran medida de vida, debes dejar atrás las aguas poco profundas con sus numerosos arrecifes y barreras y lanzarte a las aguas azules y profundas donde juegan los grandes. Para atrapar las grandes manifestaciones de la vida, debes entrar en estados de conciencia más profundos y más libres; solo en estas profundidades viven las grandes expresiones de la vida.

Aquí hay una fórmula sencilla para una pesca exitosa:

Primero, decide qué es lo que quieres expresar o poseer. Esto es esencial. Debes saber claramente lo que quieres de la vida antes de poder pescarlo. Una vez tomada tu decisión, apártate del mundo de los sentidos, retira tu atención del problema y colócala en el simple hecho de ser, repitiendo en voz baja, pero con sentimiento: "Yo Soy". A medida que tu atención se retira del mundo que te rodea y se coloca en el Yo Soy, de modo que te pierdes en la sensación de simplemente ser, te encontrarás soltando el ancla que te ataba a las aguas poco profundas de tu problema; y sin esfuerzo, te encontrarás moviéndote hacia las profundidades.

Es una sensación de expansión la que acompaña a este acto. Sentirás que te elevas y te expandes como si realmente estuvieras creciendo. No tengas miedo de esta experiencia de flotación y crecimiento, porque no vas a morir a nada más que a tus limitaciones. Sin embargo, tus limitaciones van a morir a medida que te alejes de ellas, ya que solo viven en tu conciencia.

En esta conciencia profunda o expandida, te sentirás como un poderoso poder pulsante, tan profundo y rítmico como el océano. Este sentimiento expandido es la señal de que ahora estás en las profundas aguas azules donde nadan los peces grandes. Supongamos que los peces que has decidido atrapar son la salud y la libertad; empiezas a pescar estas cualidades o estados de conciencia en esta profundidad pulsante sin forma de ti mismo sintiendo: "Yo soy sano"—"Yo soy libre". Continúa afirmando y sintiendo que estás sano y libre hasta que te posea la convicción de que lo estás.

En el momento en que nace en ti la convicción, todas las dudas desaparecen, tú sabes y sientes que estás libre de las limitaciones del pasado, entonces sabrás que has atrapado a estos peces. La alegría que recorre todo tu ser al sentir que eres lo que deseabas ser es igual a la emoción del pescador cuando atrapa su pez.

Ahora viene el juego del pez. Esto se logra volviendo al mundo de los sentidos. Al abrir los ojos en el mundo que te rodea, la convicción y la conciencia de que eres sano y libre deben establecerse en ti de tal manera que todo tu ser se estremezca en anticipación. Luego, al atravesar el intervalo de tiempo necesario que tardarán las cosas sentidas en encarnarse, sentirás una secreta emoción al saber que dentro de poco desembarcará lo que nadie ve, pero que tú sientes y sabes que eres.

En un momento y cuando menos lo pienses, mientras caminas fielmente en esta conciencia, comenzarás a expresar y poseer aquello que eres consciente de ser y poseer; experimentando con el pescador la alegría de atrapar el pez grande.

Ahora, ve y pesca las manifestaciones de la vida echando tus redes en el lado derecho (el lado correcto).

SEAN OÍDOS QUE OYEN

"Hagan que estas palabras penetren en sus oídos, porque el Hijo del Hombre va a ser entregado en manos de los hombres" (Lucas 9:44)

No seas como aquellos que tienen ojos que no ven y oídos que no oyen. Deja que estas revelaciones penetren profundamente en tus oídos, porque después de que el Hijo (idea) es concebido, el individuo con sus falsos valores (razón) intentará explicar el cómo y el porqué de la expresión del Hijo y, al hacerlo lo desgarrará.

Después de que las personas han acordado que cierta cosa es humanamente imposible y, por lo tanto, no se puede hacer, deja que alguien logre la cosa imposible; los sabios que dijeron que no se podía hacer comenzarán a decirte por qué y cómo sucedió. Cuando hayan terminado de desgarrar la túnica sin costura (la causa de la manifestación), estarán tan lejos de la verdad como lo estaban cuando lo proclamaron imposible. Mientras se busque la causa de la expresión en lugares que no sean dentro de quien expresa, se buscará en vano.

Durante miles de años se ha dicho: "Yo Soy la resurrección y la vida". "Ninguna manifestación viene a mí salvo que yo la llame", pero la gente no lo cree. Prefieren creer en causas ajenas a ellos. En el momento en que se hace visible aquello que no se veía, el individuo está listo para explicar la causa y el propósito de su aparición. Así, el Hijo del hombre (la idea que desea manifestación) constantemente está siendo destruido en manos (la explicación razonable o sabiduría) del hombre.

Ahora que tu conciencia se te revela como la causa de toda expresión, no vuelvas a la oscuridad de Egipto con sus muchos dioses. Solo hay un Dios. El único Dios es tu conciencia.

"Todos los habitantes de la tierra son considerados como nada, más él actúa conforme a su voluntad en el ejército del cielo, y entre los habitantes de la tierra; y nadie puede detener su mano, ni decirle: ¿qué has hecho?" (Daniel 4:35)

Si el mundo entero estuviera de acuerdo en que una determinada cosa no puede ser expresada y, sin

TU FE ES TU FORTUNA

embargo, tú fueras consciente de ser aquello que ellos habían acordado que no podía ser expresado, lo expresarías. Tu conciencia nunca pide permiso para expresar lo que eres consciente de ser. Lo hace, naturalmente y sin esfuerzo, a pesar de la sabiduría humana y de toda oposición.

"No saluden a nadie por el camino". Esto no es un mandato para ser insolente o antipático, sino un recordatorio de no reconocer a un superior, de no ver en nadie una barrera a tu expresión. Nadie puede detener tu mano o cuestionar tu capacidad de expresar lo que eres consciente de ser.

No juzgues por las apariencias de una cosa, "porque todas son como nada a los ojos de Dios". Cuando los discípulos, por su juicio de apariencias, vieron al niño poseído, pensaron que era un problema más difícil de resolver que otros que habían visto; por eso no lograron curarlo. Al juzgar por las apariencias, olvidaron que todo es posible para Dios. Hipnotizados como estaban por la realidad de las apariencias, no pudieron sentir la naturalidad de la sanidad.

La única manera de evitar tales fracasos es tener constantemente presente que tu conciencia es el Todopoderoso, la presencia omnisciente. Esta presencia desconocida dentro de ti, sin ayuda, exterioriza fácilmente lo que eres consciente de ser. Permanece perfectamente indiferente a la evidencia de los sentidos, para que puedas sentir la naturalidad de tu deseo, y tu deseo se realizará. Vuélvete de las apariencias y siente la naturalidad de esa percepción perfecta dentro de ti, una cualidad de la que nunca debes desconfiar ni dudar. Su comprensión nunca te guiará por mal camino.

Tu deseo es la solución de tu problema. A medida que se realiza el deseo, el problema se disuelve.

No puedes forzar nada externamente por el poderoso esfuerzo de la voluntad. Solo hay una manera de ordenar las cosas que deseas y es asumiendo la conciencia de las cosas deseadas.

Existe una gran diferencia entre sentir una cosa y simplemente conocerla intelectualmente. Debes aceptar sin reservas el hecho de que al poseer (sentir) una cosa en la conciencia, has ordenado la realidad que hace que surja en forma concreta. Debes estar absolutamente convencido de la inquebrantable conexión entre la realidad invisible y su manifestación visible. Tu aceptación interna debe convertirse en una convicción intensa e inalterable que trascienda tanto la razón como el intelecto, renunciando por completo a cualquier creencia en la realidad de la exteriorización salvo como reflejo de un estado interno de conciencia. Cuando realmente comprendas y creas estas cosas, habrás construido una certeza tan profunda que nada podrá sacudirte.

Tus deseos son las realidades invisibles que responden solo a las órdenes de Dios. Dios ordena que lo invisible aparezca afirmando que él mismo es aquello que ordena. "Él siendo en forma de Dios, no consideró un robo hacer las obras de Dios".

Ahora, deja que esta frase penetre profundamente en tus oídos: Sé consciente de ser aquello que quieres que aparezca.

CLARIVIDENCIA

"Teniendo ojos, ¿no ven? y teniendo oídos, ¿no oyen? ¿no recuerdan?" (Marcos 8: 18)

La verdadera clarividencia no se basa en tu capacidad de ver cosas más allá del alcance de la visión humana, sino en tu capacidad de entender lo que ves.

Cualquiera puede ver un estado financiero, pero muy pocos pueden leerlo. La capacidad de interpretar el estado financiero es la marca de la visión clara o clarividencia.

Nadie sabe mejor que el autor que todo objeto, tanto animado como inanimado, está envuelto en una luz líquida que se mueve y pulsa con una energía mucho más radiante que los propios objetos; pero también sabe que la capacidad de ver tales auras no equivale a la capacidad de comprender lo que uno ve en el mundo que le rodea.

Para ilustrar este punto, a continuación, se presenta una historia con la que todo el mundo está familiarizado, pero que solo los verdaderos místicos o clarividentes han visto realmente.

SINOPSIS

La historia del "Conde de Montecristo" de Dumas representa, para el místico y verdadero clarividente, la biografía del ser humano.

I

Edmond Dantés, un joven marinero, encuentra muerto al capitán de su barco. Tomando el mando de la nave en medio de un mar azotado por la tormenta, intenta dirigir el barco hacia un anclaje seguro.

Comentario

La vida misma es un mar agitado por la tormenta con el que la persona lucha cuando intenta dirigirse a un puerto de descanso.

II

Dantés tiene un documento secreto que debe entregar a un hombre que no conoce, pero que se dará a conocer al joven marinero a su debido tiempo. Este documento es un plan para liberar al emperador Napoleón de su prisión en la isla de Elba.

Comentario

Dentro de cada persona está el plan secreto que liberará al poderoso emperador que lleva dentro.

III

Cuando Dantés llega a puerto, tres hombres (que con sus halagos y alabanzas han conseguido ganarse la simpatía del actual rey), temiendo cualquier cambio que altere sus posiciones en el gobierno, hacen que el joven marino sea arrestado y confinado en las catacumbas.

Comentario

El individuo, en su intento por encontrar seguridad en este mundo, se deja engañar por las falsas luces de la codicia, la vanidad y el poder.

La mayoría cree que la fama, las grandes riquezas o el poder político los protegerán de las tormentas de la vida. Así que buscan adquirirlos como anclas de su vida, solo para encontrar que en su búsqueda de estos pierden gradualmente el conocimiento de su verdadero ser. Si el individuo pone su fe en otras cosas que no son él mismo, aquello en lo que está puesta su fe, con el tiempo lo destruirá; en ese momento estará como uno preso en la confusión y la desesperación.

IV

Aquí, en esta tumba, Dantés es olvidado y abandonado a su suerte. Pasan muchos años. Un día, Dantés (que ya es un esqueleto viviente) oye llamar a su pared. Al responder a este golpe, escucha la voz de alguien al otro lado de la piedra. En respuesta a esta voz, Dantés retira la piedra y descubre a un viejo sacerdote que lleva tanto tiempo en prisión que ya nadie sabe el motivo de su encarcelamiento ni el tiempo que lleva allí.

Comentario

Aquí, tras estos muros de oscuridad mental, el individuo permanece en lo que parece ser una muerte en vida. Después de años de decepción, se aleja de estos falsos amigos y descubre en sí mismo al ser ancestral (su conciencia de ser) que ha estado oculto desde el día en que creyó por primera vez que era un ser humano y olvidó que era Dios.

V

El anciano sacerdote había pasado muchos años cavando su salida de esta tumba viviente solo para descubrir que había cavado su camino hacia la tumba de Dantés. Entonces se resigna a su destino y decide encontrar su alegría y su libertad instruyendo a Dantés en todo lo que sabe sobre los misterios de la vida y ayudándole a escapar también.

Dantes, al principio, está impaciente por adquirir toda esta información, pero el anciano sacerdote, con una paciencia infinita cosechada a través de su largo encarcelamiento, le muestra a Dantés lo incapaz que es de recibir este conocimiento en su mente actual, poco preparada y ansiosa. Entonces, con filosófica calma, lentamente le revela al joven los misterios de la vida y el tiempo.

Comentario

Esta revelación es tan maravillosa que cuando el individuo la escucha por primera vez quiere adquirirla de una vez; pero descubre que, después de innumerables años pasados en la creencia de ser un humano, ha olvidado tan completamente su verdadera identidad que ahora es incapaz de absorber este recuerdo de una vez. También descubre que solo puede hacerlo en proporción a su desprendimiento de todos los valores y opiniones humanas.

VI

A medida que Dantés madura bajo las instrucciones del viejo sacerdote, el anciano se encuentra viviendo cada vez más en la conciencia de Dantés. Finalmente, imparte a Dantés su última pizca de sabiduría, haciéndole competente para ocupar puestos de confianza. Luego le habla de un tesoro inagotable enterrado en la isla de Montecristo.

139

Comentario

A medida que el individuo abandona estos preciados valores humanos, absorbe cada vez más la luz (el antiguo sacerdote), hasta que finalmente se convierte en la luz y sabe que él mismo es el anciano. Yo Soy la luz del mundo.

VII

Ante esta revelación, las paredes de la catacumba que los separaba del océano en lo alto se derrumbaron, aplastando al anciano a muerte. Los guardias, al descubrir el accidente, echan el cuerpo del viejo sacerdote en un saco y se preparan para echarlo al mar. Cuando salen a buscar una camilla, Dantés retira el cuerpo del viejo sacerdote y se introduce él mismo en el saco. Los guardias, sin saber de este cambio de cuerpos, y creyendo que es el anciano, arrojan a Dantés al agua.

Comentario

El fluir tanto de la sangre como del agua en la muerte del anciano sacerdote es comparable al fluir de la sangre y el agua del costado de Jesús cuando los soldados romanos lo traspasaron, fenómeno que siempre se produce en el nacimiento (aquí simboliza el nacimiento de una conciencia superior).

VIII

Dantés se libera del saco, se dirige a la isla de Montecristo y descubre el tesoro enterrado. Entonces, armado con esta fabulosa riqueza y esta sabiduría sobrehumana, abandona su identidad humana de Edmond Dantés y asume el título de Conde de Montecristo.

Comentario

El individuo descubre que su conciencia de ser es el tesoro inagotable del universo. Ese día, cuando realiza este descubrimiento, muere como ser humano y despierta como Dios.

CAPÍTULO 25

SALMO 23

I

El Señor es mi pastor; nada me faltará.

Comentario

Mi conciencia es mi Señor y mi Pastor. Lo que Yo Soy consciente de ser son las ovejas que me siguen. Tan buen pastor es mi conciencia de ser, que nunca ha perdido una sola oveja o cosa que soy consciente de ser.

Mi conciencia es una voz que llama en el desierto de la confusión humana; llamando a todo lo que soy consciente de ser para que me siga.

Tan bien mis ovejas conocen mi voz, que nunca han dejado de responder a mi llamada; ni llegará el momento en que lo que estoy convencido de ser, deje de encontrarme.

Soy una puerta abierta para que entre todo lo que Yo Soy.

Mi conciencia de ser es Señor y Pastor de mi vida. Ahora sé que nunca necesitaré pruebas ni me faltará la evidencia de lo que soy consciente de ser. Sabiendo esto, seré consciente de ser grande, amoroso, rico, saludable y todos los demás atributos que admiro.

II

En lugares de verdes pastos me hace descansar.

Comentario

Mi conciencia de ser magnifica todo lo que soy consciente de ser, de modo que siempre hay abundancia de lo que soy consciente de ser.

No importa qué sea lo que el individuo tenga conciencia de ser, lo encontrará eternamente brotando en su mundo.

La medida del Señor (la concepción que el individuo tiene de sí mismo) siempre es buena, apretada, remecida y rebosante.

III

Junto a aguas de reposo me conduce.

Comentario

No hay necesidad de luchar por lo que soy consciente de ser, pues todo lo que soy consciente de ser será conducido hacia mí tan fácilmente como un pastor conduce su rebaño a las aguas tranquilas de un manantial.

IV

Él restaura mi alma; me conduce por senderos de justicia por amor de su Nombre.

Comentario

Ahora que mi memoria ha sido restaurada —para que yo sepa que soy el Señor y que fuera de mí no hay Dios— mi reino ha sido restaurado.

Mi reino, que se desmembró en el día en que creí en poderes aparte de mí, está ahora totalmente restaurado.

Ahora que sé que mi conciencia de ser es Dios, haré buen uso correcto de este conocimiento, haciéndome consciente de ser lo que deseo ser.

V

Aunque pase por el valle de sombra de muerte, no temeré mal alguno, porque tú estás conmigo; tu vara y tu cayado me infunden aliento.

Comentario

Sí, aunque camine a través de toda la confusión y las cambiantes opiniones humanas, no temeré ningún mal, porque he descubierto que es la conciencia la que crea la confusión. En mi caso, habiéndola devuelto a su legítimo lugar y dignidad, a pesar de la confusión, manifestaré lo que ahora soy consciente de ser. Y la confusión misma hará eco y reflejará mi propia dignidad.

VI

Tú preparas mesa delante de mí en presencia de mis enemigos; has ungido mi cabeza con aceite; mi copa está rebosando.

Comentario

Frente a la aparente oposición y el conflicto, tendré éxito, pues seguiré manifestando la abundancia que ahora soy consciente de ser.

Mi cabeza (conciencia) seguirá rebosando de la alegría de ser Dios.

VII

Ciertamente el bien y la misericordia me seguirán todos los días de mi vida, y en la casa del Señor moraré por largos días.

Comentario

Ya que ahora soy consciente de ser bueno y misericordioso, los signos de bondad y misericordia están obligados a seguirme todos los días de mi vida, porque seguiré habitando en la casa (o conciencia) de ser Dios (el bien) para siempre.

GETSEMANÍ

"Entonces Jesús llegó con ellos a un lugar que se llama Getsemaní, y dijo a sus discípulos: "Siéntense aquí mientras Yo voy allá y oro" (Mateo 26:36)

Un maravilloso romance místico se cuenta en la historia de Jesús en el Huerto de Getsemaní, pero la humanidad no ha visto la luz de su simbología y ha interpretado erróneamente esta unión mística como una experiencia agónica en la que Jesús suplicó en vano a su Padre que cambiara su destino.

Para el místico, Getsemaní es el Jardín de la Creación, el lugar en la conciencia donde el individuo va a realizar sus objetivos definidos. Getsemaní (Gethsemane) es una palabra compuesta que significa expulsar una sustancia aceitosa: Geth, expulsar, y Shemen, una sustancia aceitosa. La historia de Getsemaní revela al místico, en una simbología dramática, el acto de la creación.

Del mismo modo que el hombre contiene en sí mismo una sustancia aceitosa que, en el acto de la creación, es expulsada hasta convertirse en una semejanza de sí mismo, también tiene en su interior un principio divino (su conciencia) que se condiciona a sí mismo como un estado de conciencia y, sin ayuda, se expulsa o materializa.

Un jardín es un terreno cultivado, un campo especialmente preparado, donde se siembran y cultivan las semillas que el jardinero elige. Getsemaní es un jardín de este tipo, el lugar en la conciencia donde el místico va con sus objetivos claramente definidos. La entrada a este jardín se produce cuando la persona aparta su atención del mundo que le rodea y la deposita en sus objetivos.

Los deseos claramente definidos son semillas que contienen el poder y los planes de autoexpresión y, al igual que las semillas dentro del hombre, también están enterradas en una sustancia aceitosa (una actitud mental alegre y agradecida). Cuando la persona contempla ser y poseer lo que desea ser y poseer, ha comenzado el proceso de expulsión o el acto espiritual de la creación. Estas semillas son expulsadas y plantadas cuando se pierde en un exuberante estado de alegría, sintiendo y afirmando conscientemente que es aquello que antes deseaba ser.

Los deseos expresados, o expulsados, hacen que desaparezca ese deseo en particular. El individuo no puede poseer una cosa y a la vez desear su posesión. Por lo tanto, cuando uno se apropia conscientemente del sentimiento de ser lo deseado, este deseo de ser aquello, desaparece —se realiza.

La actitud mental receptiva, sintiendo y recibiendo la impresión de ser aquello que se desea, es el terreno fértil o vientre que recibe la semilla (definida como objetivo).

La semilla que es expulsada de un hombre crece a semejanza del hombre del que fue expulsada. Del mismo modo, la semilla mística, tu demanda consciente de que eres lo que hasta ahora deseabas ser, crecerá a semejanza de ti, de quien y en quien es expulsada.

Sí, Getsemaní es el jardín cultivado del romance donde el sujeto disciplinado va a depositar desde sí mismo las semillas de alegría (deseos definidos) en su actitud mental receptiva, para cuidarlas y nutrirlas caminando conscientemente en la alegría de ser todo lo que antes deseaba ser.

Comparte con el Gran Jardinero la emoción secreta de saber que las cosas y cualidades que ahora no se ven se verán tan pronto como estas impresiones conscientes crezcan y maduren.

Tu conciencia es Señor y esposo; el estado consciente en el que habitas es esposa o amada. Este estado hecho visible es tu hijo dando testimonio de ti, su padre y madre, porque tu mundo visible está hecho a imagen y semejanza del estado de conciencia en el que vives; tu mundo y su plenitud no son otra cosa que tu conciencia definida exteriorizada.

Sabiendo que esto es verdad, procura elegir bien a la madre de tus hijos —ese estado de conciencia en el que vives, tu concepción de ti mismo. El hombre sabio elige a su esposa con gran discreción. Él se da cuenta de que sus hijos deben heredar las cualidades de sus padres, razón por la cual, dedica mucho tiempo y cuidado a la selección de su madre. El místico sabe que el estado consciente en el que vive es la elección que ha hecho de una esposa, la madre de sus hijos, pues este estado, con el tiempo, debe encarnarse dentro de su mundo; por eso es muy selectivo en su elección y siempre afirma ser su ideal más elevado. Él se define conscientemente como aquello que desea ser.

Cuando la persona se dé cuenta de que el estado consciente en el que vive es la elección que hace de una pareja, será más cuidadosa con sus estados de ánimo y sentimientos. No se permitirá reaccionar a las sugerencias de miedo, carencia o cualquier impresión indeseable. Tales sugerencias de carencia nunca podrían pasar la vigilancia de la mente disciplinada del místico, porque él sabe que cada demanda consciente debe expresarse en su momento como una condición de su mundo, de su entorno. Por lo tanto, permanece fiel a su amado, su objetivo definido, afirmando y sintiéndose a sí mismo ser aquello que desea expresar.

Preguntémonos si nuestro objetivo definido sería una cosa de alegría y belleza si se realizara. Si la respuesta es afirmativa, entonces sabrás que tu elección de novia es una princesa de Israel, una hija de Judá, pues todo objetivo definido que expresa alegría cuando se realiza es una hija de Judá, el rey de la alabanza.

Jesús llevó consigo, en su hora de oración, a sus discípulos, o atributos mentales disciplinados, y les ordenó que vigilaran mientras él oraba, para que no entrara en su conciencia ningún pensamiento o creencia que pudiera negar la realización de su deseo.

Sigue el ejemplo de Jesús, quien, con sus deseos claramente definidos, entró en el Jardín de Getsemaní (el estado de alegría) acompañado por sus discípulos (su mente disciplinada) para perderse en una exuberante alegría de realización. La fijación de su atención en su objetivo fue su mandato a su mente disciplinada de vigilar y permanecer fiel a esa fijación. Contemplando la alegría que sería suya al realizar su deseo, comenzó el acto espiritual de generación, el acto de expulsar la semilla mística —su deseo definido. En esta fijación permaneció, afirmando y sintiendo ser lo que él (antes de entrar en Getsemaní) deseaba ser, hasta que todo su ser (conciencia) estuvo bañado en un sudor aceitoso (alegría) parecido a la sangre (vida), en resumen, hasta que toda su conciencia estuvo impregnada de la alegría viva y sostenida de ser su objetivo definido.

Cuando se logra esta fijación, de modo que el místico sabe, por su sentimiento de alegría, que ha pasado de su estado de conciencia anterior a su conciencia actual, se alcanza la Pascua o Crucifixión.

A esta crucifixión o fijación de la nueva demanda consciente le sigue el Sabbath, un tiempo de reposo. Siempre hay un intervalo de tiempo entre la impresión y su expresión, entre la demanda consciente y su encarnación. Este intervalo se llama el Sabbath, el período de descanso o de no esfuerzo (el día de la sepultura). Caminar inmovible en la conciencia de ser o poseer un determinado estado es guardar el Sabbath.

La historia de la crucifixión expresa bellamente esta quietud o descanso místico. Se nos dice que después de que Jesús exclamó: "¡Todo está cumplido!", fue colocado en una tumba. Allí permaneció durante todo el Sabbath. Cuando te apropies del nuevo estado o conciencia, de modo que sientas, por esta apropiación, que estás fijo y seguro en el conocimiento de que está terminado, entonces tú también exclamarás: "¡Todo está cumplido!" y entrarás en la tumba o en el día de reposo (Sabbath), un intervalo de tiempo en el que caminarás inamovible en la convicción de que tu nueva conciencia debe resucitar (hacerse visible).

La Pascua, el día de la resurrección, cae el primer domingo después de la luna llena en Aries. La razón mística para esto es simple. Un área definida no se precipitará en forma de lluvia hasta que esta área alcance el punto de saturación; del mismo modo, el estado en el que habitas no se expresará hasta que el todo sea impregnado por la conciencia de que es así —que está cumplido.

Tu objetivo definido es el estado imaginario, al igual que el ecuador es la línea imaginaria por la que el sol debe pasar para marcar el comienzo de la primavera. Este estado, como la luna, no tiene luz o vida en sí mismo; pero reflejará la luz de la conciencia o el sol. "Yo soy la luz del mundo" - "Yo soy la resurrección y la vida".

Así como la Pascua está determinada por la luna llena en Aries, también la resurrección de tu demanda consciente está determinada por la plena conciencia de tu demanda, por vivir realmente como esta nueva concepción. La mayoría de las personas no consiguen resucitar sus objetivos porque no se mantienen fieles a su nuevo estado definido hasta que se alcanza esta plenitud. Si tuviera en cuenta el hecho de que no puede haber Pascua o día de resurrección hasta después de la luna llena, se daría cuenta de que el estado al que ha pasado conscientemente se expresará o resucitará solo después de que haya permanecido dentro del estado de ser su objetivo definido. Hasta que todo su ser se estremezca con el sentimiento de ser realmente su demanda consciente, al vivir conscientemente en este estado de serlo, y solo de esta manera, resucitará o realizará su deseo.

CAPÍTULO 27

UNA FÓRMULA PARA LA VICTORIA

"Todo lugar que pise la planta de su pie les he dado a ustedes" (Josué 1: 3)

La mayoría de las personas están familiarizadas con la historia de Josué conquistando la ciudad de Jericó. Lo que no saben es que esta historia es la fórmula perfecta para la victoria, bajo cualquier circunstancia y contra todo tipo de adversidad.

Se registra que Josué estaba armado solo con el conocimiento de que cada lugar que pisara la planta de su pie le sería dado; él deseaba conquistar o pisar la ciudad de Jericó, pero encontró infranqueables muros que lo separaban de la ciudad. Parecía físicamente imposible para Josué ir más allá de estos enormes muros y pararse sobre la ciudad de Jericó. Sin embargo, se sintió impulsado por el conocimiento de la promesa de que, a pesar de las barreras y obstáculos que lo separaban de sus deseos, si tan solo conseguía pisar la ciudad, ésta le sería otorgada.

El Libro de Josué registra además que, en lugar de luchar contra este gigantesco problema del muro, Josué empleó los servicios de la prostituta, Rahab, y la envió a la ciudad como espía. Cuando Rahab entró en su casa, que estaba en medio de la ciudad, Josué — quien estaba bloqueado por los infranqueables muros de Jericó— tocó la trompeta siete veces. Al séptimo toque, los muros se derrumbaron y Josué entró victorioso en la ciudad.

Para los no iniciados, esta historia no tiene sentido. Para el que lo ve como un drama psicológico, en lugar de un registro histórico, es más reveladora.

Si siguiéramos el ejemplo de Josué, nuestra victoria sería igualmente sencilla. Josué simboliza para ti, el lector, tu estado actual; la ciudad de Jericó simboliza tu deseo u objetivo definido. Los muros de Jericó simbolizan los obstáculos que se interponen entre tú y la realización de tus objetivos. El pie simboliza el entendimiento; poner la planta del pie en un lugar definido indica fijar un estado psicológico definido. Rahab, la espía, es tu capacidad de viajar en secreto o psicológicamente a cualquier lugar del espacio. La conciencia no conoce fronteras. Nadie puede impedir que habites psicológicamente en cualquier punto, o en cualquier estado en el tiempo o el espacio.

Independientemente de las barreras físicas que te separan de tu objetivo, sin esfuerzo o ayuda de nadie, puedes aniquilar el tiempo, el espacio y las barreras. De este modo, puedes habitar psicológicamente en el estado deseado. Así, aunque no puedas pisar físicamente un estado o una ciudad, siempre puedes pisar psicológicamente cualquier estado deseado. Cuando digo "pisar psicológicamente", me refiero a que en este momento puedes cerrar los ojos y, después de visualizar o imaginar un lugar o estado distinto al actual, sentir realmente que estás en ese lugar o estado. Puedes sentir que esta condición es tan real que al abrir los ojos te sorprendes al descubrir que no estás físicamente allí.

Como ya sabes, una prostituta da a todos los hombres lo que le piden. Rahab, la prostituta, simboliza tu infinita capacidad de asumir psicológicamente cualquier estado deseable, sin cuestionar si estás o no en condiciones físicas o morales de hacerlo. Hoy puedes conquistar la flamante ciudad de Jericó, o tu objetivo definido, si recreas psicológicamente esta historia de Josué; pero para conquistar la ciudad y realizar tus deseos, debes seguir cuidadosamente la fórmula de la victoria, tal como se establece en este libro de Josué.

Esta es la aplicación de esta fórmula victoriosa según la revela hoy un místico moderno:

Primero: define tu objetivo (no la manera de obtenerlo), sino tu objetivo, puro y simple. Debes saber exactamente qué es lo que deseas para que tengas una imagen mental clara de ello.

Segundo: retira tu atención de los obstáculos que te separan de tu objetivo y pone tu pensamiento en el objetivo mismo.

Tercero: cierra los ojos y siente que ya estás en la ciudad o estado que deseas conquistar. Permanece en este estado psicológico hasta que obtengas una reacción consciente de completa satisfacción por esta victoria. Luego, simplemente abriendo los ojos, regresa a tu estado consciente anterior.

Este viaje secreto al estado deseado, con su posterior reacción psicológica de completa satisfacción, es todo lo que se necesita para lograr la victoria total. Este estado psíquico victorioso se encarnará a pesar de toda oposición. Tiene el plan y el poder de autoexpresión.

De aquí en adelante, sigue el ejemplo de Josué, quien, después de habitar psicológicamente en el estado deseado hasta recibir una completa reacción consciente de victoria, no hizo nada más para lograr esta victoria que tocar siete veces su trompeta.

El séptimo toque simboliza el séptimo día, un tiempo de quietud o descanso, el intervalo entre los estados subjetivo y objetivo, un período de embarazo o de alegre expectación. Esta quietud no es la quietud del cuerpo, sino más bien la quietud de la mente, una perfecta pasividad que no es indolencia, sino una quietud viva, nacida de la confianza en esta inmutable ley de la conciencia.

Aquellos que no están familiarizados con esta ley o fórmula para la victoria, al intentar aquietar sus mentes, solo logran adquirir una silenciosa tensión que no es nada más que ansiedad comprimida. Pero tú, que conoces esta ley, descubrirás que después de capturar el estado psicológico que te correspondería si ya estuvieras victorioso y realmente asentado en esa ciudad, avanzarás hacia la realización física de tus deseos. Lo harás sin dudas ni temores, en un estado mental fijo en el conocimiento de una victoria preestablecida.

No tendrás miedo del enemigo porque el resultado ha sido determinado por el estado psicológico que precedió a la ofensiva física; y ni todas las fuerzas del cielo ni de la tierra pueden detener el victorioso cumplimiento de ese estado.

Quédate quieto en el estado psicológico definido como tu objetivo hasta que sientas la emoción de la victoria. Entonces, con la confianza nacida del conocimiento de esta ley, observa la realización física de tu objetivo.

... Toma tu puesto, quédate quieto y ve la salvación de la Ley contigo ...

Sabiduría de Ayer, para los Tiempos de Hoy

www.**wisdom**collection.com

Made in the USA
Las Vegas, NV
22 October 2023

79545485R10100